UNIVERSALE
ECONOMICA
FELTRINELLI

C000097609

"Tenero, fine, intelligente, scritto con delicatezza. Uno dei migliori scrittori del nostro Paese." (Wlodek Goldkorn, "L'Espresso")

"Questo libro fa pensare a una possibilità di ricostruzione, a una letteratura della coscienza, rivolta ad interrogare i nodi cruciali dell'esistenza e il senso del mondo." (Giulio Ferroni, "l'Unità")

"La voce dell'autore trascina il lettore tra Torino e Parigi, con una valigia sempre aperta, in un bellissimo viaggio." (Valeria Parrella, "Grazia")

"Un romanzo sulla corsa vorace del tempo." (Romana Petri, "Il Messaggero")

"Un romanzo cubista (siamo dopotutto negli anni venti!). C'è la fedeltà, il lirismo, c'è il tema delle idealità – persistenti o perdute. Soprattutto c'è un sentimento, quello della fuggevolezza. Tutto appare liquido, tutto scorre, tutto corre – più d'ogni cosa la giovinezza." (Franco Cordelli)

"Romanzo e verità si mescolano quasi naturalmente, Di Paolo racconta senza mai perdere in velocità o scadere nella retorica ma cogliendo ogni volta i particolari più significativi con una maturità di scrittura sbalorditiva." (Rosetta Loy)

"Operazione riuscitissima di rievocare 'dal vero' la figura di uno dei massimi intellettuali italiani d'inizio secolo." (Corrado Augias, "il Venerdì di Repubblica")

"Una ricostruzione e un'interpretazione attendibili della breve esistenza di Gobetti si alternano alle azioni di un personaggio comune, prima respinto e poi affascinato da quel geniale coetaneo, nei primi anni della dittatura fascista." (Goffredo Fofi, "Internazionale")

"Il romanzo, bello per l'asciuttezza e l'equilibrio, non è un romanzo storico: tende soprattutto a recuperare un'atmosfera e il miracolo di Piero." (Paolo Mauri, "la Repubblica")

"Il romanzo, sostenuto da una scrittura elegante, si dà anche quale ricaduta sulle contraddizioni dell'oggi. Riproponendo, come già in *Dove eravate tutti*, la necessità del 'vegliare'". (Ermanno Paccagnini, "Corriere della Sera")

"Forse il vero modello (nascosto) è *Una questione privata* di Fenoglio: la consapevolezza che la rivoluzione è un innamoramento, e che sempre i nostri affetti intimi s'intrecciano con la vita pubblica e con la Storia." (Filippo La Porta, "Left")

"Il romanzo è per intero dominato da una idea di violenza, in quanto racconto dell'impossibilità di crescere negli anni venti (del secolo scorso)... Una storia di inattesa modernità." (Angelo Gugliemi, "l'Unità")

PAOLO DI PAOLO
Mandami tanta vita

1926

Piero   Gobetti   1901-26

61 ?
p65
Mario Carlu?

© Giangiacomo Feltrinelli Editore Milano
Prima edizione ne "I Narratori" marzo 2013
Prima edizione nell'"Universale Economica" ottobre 2014

Stampa Grafiche Busti - VR

ISBN 978-88-07-88547-1

www.feltrinellieditore.it
Libri in uscita, interviste, reading,
commenti e percorsi di lettura.
Aggiornamenti quotidiani

razzismobruttastoria.net

Mandami tanta vita

a Michela
alla mia famiglia

I advance for as long as forever is.
(Io vado avanti quanto dura il sempre.)

DYLAN THOMAS, *Twenty-four Years*

Fidarsi della prima impressione può portare fuori strada. Comunque, per lui, era stata antipatia. Istintiva, quasi feroce. Si era voltato, come tutti i presenti, per il chiacchiericcio insistente in fondo all'aula. La lezione su Dante durava già da un'ora, la noia lievitava insieme ai versi. L'impettito professore, con gli occhi fissi sul libro – la sagoma di un'upupa, la testa stretta e un pennacchio di capelli bianchi – commentava ostinato a voce bassa, gareggiando in monotonia con lo scroscio della pioggia. Poi dev'essere caduto un libro a terra: il rumore ha spezzato di colpo la voce e una terzina incomprensibile del *Purgatorio*. Allora l'upupa ha finalmente alzato gli occhi piccoli come spilli, e li ha visti.

Un gruppo di tre o quattro seduti alle ultime file – discutevano per fatti loro già da parecchio – aveva cominciato a sghignazzare. Prego lorsignori, ha scandito l'upupa ruotando il collo a scatti, verso destra e poi verso sinistra, se non fossero interessati alla lezione, di volere abbandonare l'aula. A questo punto il più smilzo – svettava per altezza, con una nuvola di ricci chiari sulla testa – si è alzato di colpo, ha raccolto il libro che poco prima aveva fatto cadere e l'ha infilato in una tasca già sformata della giacca. Al collo portava una cravattina a nodo fisso e i polsini di celluloide, sul naso un

11

paio di occhiali tondi che in quella luce grigia brillavano. Sulle labbra, un sorriso malizioso, quasi di scherno.

Illustre professore, ha spiegato, in verità si tratta di un'azione di protesta contro la sua persona, oltre che del tentativo di svegliare dal sonno la sua platea. Molti hanno nascosto le risate portandosi la mano alla bocca. È passato un interminabile minuto di silenzio. Il professore guardava fisso davanti a sé, come raggelato. Ha aperto la bocca senza che ne uscisse alcun suono. Poi, le prime parole sono state Quasi smarrito. Cominciava con questa ammissione la sua replica alla protesta?

Nell'aula persisteva il silenzio assoluto, a cui perfino la pioggia pareva essersi arresa. Quasi smarrito, ha ripetuto l'upupa, ma non era altro che il seguito della terzina dantesca interrotta *Quasi smarrito, e riguardar le genti/ che 'n Sennaàr con lui superbi fuoro*. Superbi, aveva detto? Una semplice coincidenza. Alla terzina successiva il gruppo dei provocatori aveva già lasciato l'aula.

Moraldo era rimasto impressionato. La faccia di quel giovane l'aveva indispettito e riempito – lo avrebbe ammesso a fatica, storcendo la bocca – di curiosità. Quel tizio era antipatico, sì, inutile girarci intorno. Sicuro di sé, sprezzante: un ragazzino pallido cresciuto troppo in fretta, nervoso nei movimenti, il pomo d'Adamo sporgente. Avrebbe poi scoperto che lui e il suo piccolo clan venivano dalla facoltà di Legge, e che ogni tanto passavano da Lettere come uditori. Lui, il capo, aveva appena fondato una rivistina seriosa: ne aveva lasciata qualche copia sparsa sugli ultimi banchi. Si dava un gran da fare tra conferenze, libri, discorsi di politica. C'era chi li chiamava, lui e i suoi amici, l'Accademia dei Patiti.

Le voci di corridoio riportavano notizie tendenziose e strambe: quei pazzi si incontrano la mattina all'alba per leggere Kant. Gente ridicola! Una congrega di arrivisti, hanno scelto i professori giusti a cui stare dietro. Il bello è che hanno pure lo stomaco di indossare i panni dei ribelli. Qualcuno giurava di aver visto il ragazzo dai capelli ricci, nell'altra facoltà, tenere lezione di Economia politica, accanto al professor Einaudi che lo benediceva con gli occhi.

Moraldo sulle prime alzava le spalle, non diceva niente, oscillava fra perplessità e attrazione. Ma ci pensava a lungo: una vita simile – così energica, così determinata, così chiara – non l'avrebbe forse portato via dal limbo in cui sostava? Avrebbe potuto una buona volta opporre con fierezza qualcosa ai dubbi di suo padre.

Carissimi genitori – avrebbe finalmente scritto per lettera, alla svelta – io sto bene e così spero di voi, gli impegni mi trattengono qui in città anche nel fine settimana, non potrò pertanto raggiungere Casale, ho cominciato a collaborare con le pagine letterarie di una rivista autorevole, partecipo a conferenze e sto stringendo buone relazioni con alcuni colleghi d'ingegno e con diversi docenti della mia facoltà.

Sognava di avere indietro il calore e l'approvazione che fin lì gli erano mancati. Hai uno zio che è medico – se n'era discusso per molte cene –, sei sicuro che studiare Lettere sia la scelta giusta? Mancava solo che gli indicassero la strada del seminario. Suo fratello più grande, una volta, per scherzo l'aveva detto Se nascevi donna, eri suora Moralda, puoi giurarci. Suora Moralda ci raccomandi alla Vergine con le sue preghiere. Stròzzati, gli aveva risposto.

Però quando era uscita la sua firma sul "Monferrato" per la prima volta, aveva avuto – almeno per mezz'ora – la sensazione che le cose potessero cambiare. Appena presa la copia in edicola, si era messo a correre come il vento verso il negozio di suo padre, sfrecciava con il cuore in gola a mezzo metro da terra. Davanti alla vetrina si era bloccato di colpo. Piantato come un chiodo nel pavé di via Roma, assisteva a una scena che nella stessa giornata, in sua assenza, poteva ripetersi anche dieci o quindici volte. Come un evento sconvolgente e nuovo, guardava il padre chinarsi ai piedi di un cliente per aiutarlo a

13

calzare un paio di scarpe. Che cosa c'era di strano? Niente, era la più abituale e insignificante delle situazioni. Ma questo padre in gilet e camicia, con la pancia grossa, che piegandosi traballava come una vecchia foca, questo padre era il suo. I baffi quasi bianchi a mezzo palmo dal ginocchio di uno sconosciuto. C'era qualcosa di servile che lo feriva, in quella postura.

Aveva atteso che il cliente uscisse, per non rischiare di essere presentato. Si era vergognato di suo padre, e questo era tutto. Così, annunciandogli la propria firma sul giornale, non era stato soccorso dall'entusiasmo che lo faceva correre solo un quarto d'ora prima. Si era limitato a riferire, con un tono distratto, che era uscito un suo commento – l'aveva chiamato così, commento – alla mancata elezione in parlamento del benemerito sindaco di Pontestura, aggredito l'anno prima da un gruppo di squadristi mentre rientrava in bicicletta. I contadini, sentendo urlare, quel giorno erano riusciti a fargli scorta nell'ultimo tratto di strada. Come va interpretata questa sconfitta? quali ne sono le ragioni? erano le domande di Moraldo prima della firma. Era orgoglioso del piglio polemico. E anche dell'attacco della lettera: Sono un giovane che segue con interesse le vicende politiche locali. Ma il padre, seguitando a chiudere e impilare scatole, si era limitato a dirgli, alzando il mento verso la copia del giornale tra le mani di Moraldo, Lascialo lì.

Aveva avuto una gran voglia di piangere. Si era calato il berretto fin quasi sugli occhi, indeciso se chiudersi dentro al Cine Mondial per svagarsi con due film d'avventura, o andare verso via Capello e senza dare nell'occhio spiare gli strani movimenti sui marciapiedi, la bella ragazza dai capelli rossi detta la Losna con la sua stufetta di carbone acceso, oppure in via dei Grani dove, per stare mezz'ora con una, bastavano dieci lire. Non trovava il coraggio, svoltava nelle traverse, tornava al punto di partenza. Si sentiva sporco, ed era talvolta l'unico modo per stare meglio, cioè peggio.

2

Era il tempo delle lettere. Planavano come stormi sopra le città di mattina presto. Le buste si bagnavano di pioggia e poi si gonfiavano, fino a diventare scrigni. *Non ti scriverò più perché sarebbe troppo tardi – Arrivo martedì o mercoledì – Avrei un mucchio di cose da raccontarti – Mi sono giunte questa mattina le tue parole – Se mi scrivi, fallo presto, perché la tua lettera non vada poi perduta.*

A volte custodivano ciocche di capelli, banconote, rischiando sempre di perdersi, di tornare indietro, con un segno brutale che cancellava il nome del destinatario. Le grafie, i francobolli, le timbrature, talvolta la ceralacca e perfino le macchie di giallo, le gocce di profumo: questo era ciò che le faceva uniche, inconfondibili come volti umani. Gli anni di guerra le avevano rese vitali, preziose come poche cose al mondo: potevano brillare a lungo nelle cucine buie, tenere con il fiato sospeso le madri fino al prossimo segno di vita dei figli. La vita era anche questo – scrivere lettere, aspettarle. C'era gente che tossiva per ore, o piangeva, poi stendeva la carta velina contro una finestra, per sapere quello che non c'era scritto. C'erano frasi d'amore mascherate sotto caratteri esotici, per aggirare la censura domestica, padri e madri sospettosi e in allerta. C'erano gli auguri e c'erano i lutti, i vecchi che morivano, i bambini che nascevano, c'erano sempre, sempre, le malattie, e qualcuno da mettere al corrente. A volte, da giovani, bastava la bellezza formale e senza scopo di mettere in cima al foglio il nome di un luogo e una data. E un'ora esatta del pomeriggio, se era per amore. *San Bernardino di Trana, 14 agosto 1920, ore 18*. Cercare qualcuno, gettare un amo. *Illustrissimo signor professore, una cosa che sempre mi fa meravigliare di Lei è la prontezza e l'ordine del rispondere a tutte le lettere, anche alle mie*. Nascevano da lontano sodalizi e dissidi, dialoghi lunghissimi e accaniti che non temevano i chilometri, né le catene montuose, i mari, quando la geografia li prevedeva. Il punto, il più delle volte, era semplicemente questo, dire a qualcuno Sono qui, sono vivo. Sono arrivato, sono salvo. Domani parto, non sono morto. Ti confermo che il treno arriva giovedì alle dieci e un quarto. E il treno in effetti arrivava, con un leggerissimo ritardo.

Questo, per esempio, è partito da Alessandria, sotto un cielo coperto, il secondo di febbraio. La temperatura sfiora lo zero – mattina presto, prestissimo, l'ultimo tratto è stato una galleria di nebbia e luce fioca. Moraldo non ha fatto che pensare Quest'inverno mi ha dichiarato guerra, va tutto in malora. La giacca ha avuto il tempo di sgualcirsi, le mani hanno sfregato gli occhi, poi si sono messe in cerca di una scatola di pastiglie per la gola. Non servono a niente! Tu prendile lo stesso, gli ha raccomandato sulla porta la madre in vestaglia, sentinella dei sonni, dei risvegli e delle partenze, stanotte ti ho sentito tossire. Prima di dormire per qualche ora, da lei si era fatto aggiustare i baffi, come pretende suo padre la domenica mattina.

Porta Nuova ha lo scheletro e il cuore di ferro. Gli ombrelli, le bombette; un vecchio zoppica tenendosi a due bastoni, un ragazzino cammina con la testa bassa come per non essere riconosciuto. L'odore è di fuliggine e cuoio, si deposita con l'aria umida sui colletti delle giacche. È ancora buio, ancora per poco, e si gela. Piazza Carlo Felice, fuori, è una vasca di luce appena più chiara, sui toni dell'argento e del viola.

Moraldo sente la valigia stranamente più leggera. All'inizio di via Roma è punto da un dubbio, ma lo scaccia e va via veloce, scorrendo le vetrine dei negozi eleganti di confetti e di liquori ancora chiusi. Da un albergo un uomo grasso esce con "La Stampa" aperta tra le mani. Moraldo cerca i centesimi nelle tasche, al primo chiosco di giornali ne prende una copia. Dalla prima pagina è scomparsa l'unica notizia che gli sta davvero a cuore, quella del *Plus Ultra*, l'idroplano in volo sopra l'Atlantico. Il nome esotico della destinazione – Pernambuco – Moraldo se lo è ridetto almeno cento volte: come quando, leggendo Salgari, ripeteva nomi di fiori che credeva inesistenti. Sciambaga, mussenda, nagatampo. Bastava pronunciarli a voce alta, per sentirsi subito altrove.

A piazza Castello i lampioni si spengono, sopra steli ricamati come le vesti scure delle signore. I vetturini fumano accanto alle carrozze, i ragazzi passano a gruppi di tre, di quattro, sono macchie nere nel chiarore della piazza tagliato dalle biciclette. Il tram, fermo al capolinea, pare che tremi dal freddo. Imboccando via Po, che corre spedita verso il fiume, Moraldo sarà di nuovo assalito dal rancore. Una corrente nervosa che spinge contro le pareti del collo e alle tempie, rende i passi e i gesti meccanici, come quelli delle marionette Colla. Quando una mendicante rannicchiata sotto i portici gli tenderà la mano, lui affretterà l'andatura, rischiando di scivolare su un velo di ghiaccio. Da un caffè sulla sconfinata piazza Vittorio arriveranno le parole di una canzone, *Sei triste, non ti capisco, io non so che cosa cerchi, io non so che vuoi di più.*

Al diavolo, penserà Moraldo. Non sarà tristezza: dentro quel clima si può anche stare bene. Sarà rabbia. Sarà l'ostinazione violenta con cui si cerca chi ci ha tradito, sbattendo le porte di molte stanze vuote. Permetterà a quel silenzio di bruciargli ancora. Gli sembrerà di non riuscire a liberarsene, perché tornerà tutto. Torneranno gli avverbi di quella stupida lettera che ha scritto, rimasta senza risposta. Torneranno per primi gli avverbi e poi tornerà la rabbia. Francamente, studentescamente mi presento, gli aveva scritto una volta per tutte, scegliendo la grafia più attenta e più elegante che poteva, dopo avere combattuto a lungo con sé stesso, dopo essersi chiesto per un intero pomeriggio, fermo a un angolo di via Bertola come una spia, se cominciare con Egregio – formale, freddo, distaccato – oppure con Caro amico. Caro, sì.

Francamente, studentescamente mi presento. Credo che il mio spirito consuoni al tuo.

La frase – gli sembrava perfetta – era piovuta nella sua testa all'improvviso, con le prime gocce di un acquazzone. Tutta la lettera era infantile e bella, le *s* erano chiavi di violino e le *g* note musicali, era una letterina entusiasta come i vent'anni e poco più di chi l'aveva scritta. Tuttavia, il destinatario l'aveva ignorata. Che l'avesse ricevuta era sicuro: passato un mese di silenzio, di ritorno a Torino l'aveva imbucata di nuovo, stavolta senza affidarsi alle poste. Mentre la infilava con le proprie dita nella buca delle lettere al numero 60 di via XX Settembre, si era sentito trafitto dallo sguardo sospettoso dei passanti. Ma soprattutto, aveva temuto di veder apparire il destinatario da un momento all'altro: con quella nuvola di capelli ricci, con i piccoli occhiali, pronto a chiedere il motivo di tanta indiscrezione.

Avrebbe dovuto spiegargli, nell'eventualità, molte cose. Tanto per cominciare, che aveva riposto in quelle righe una quantità di attesa che sorprendeva perfino lui. Nella monotonia della sua esistenza, confidava che un gesto, anche insignificante, un gesto da niente fatto con opportuna concentrazione, con la giusta dose di tensione e di speranza, potesse produrre un cambiamento improvviso. Che cosa gli chiedeva, in fondo? Niente di più che una prima stretta di mano, un contatto che aprisse una complicità, un'alleanza. Al primo segnale di interesse, di apertura da parte dell'altro, Moraldo sarebbe stato pronto a far crollare in un colpo le antiche diffidenze, pronto a passare dalla sua parte. Ma i giorni erano trascorsi senza che arrivasse un segno. Aveva ritentato, e ancora niente. La fiducia e la pazienza si erano esaurite in fretta.

Stava diventando un'ossessione? Non perdeva occasione, parlando di lui, di dirne male. Indagava, cercava di sapere, lo derideva. Calcava la mano sapendo che era l'unico modo per placare un po' la vergogna. Doveva confondersi fra i denigratori, come chi tradisce prima che il gallo canti; riuscire a non avvampare, a sfregarsi le mani guardando altrove.

3

Il mondo gli è diventato ostile. Da troppo tempo scorrono giorni tutti uguali, tutti neri, che vive come congiure. Perfino la forma di una nuvola più scura può sembrargli un rimprovero, una condanna, una figura minacciosa dipinta da Mantegna. Un lungo giorno di pioggia diventa un affronto personale. Qualcosa si è spezzato: Moraldo ha cominciato a camminare con circospezione, a farsi largo a fatica tra la diffidenza della folla. A guardare gli altri di sfuggita, a sentirli tutti così – cerca l'aggettivo – così ingiustamente *avversi*. Lo giudicano male, lo sa, e per questo affretta il passo, stringe il bavero del pastrano con la mano destra sul collo, procede spedito anche quando nessuno lo aspetta. Un rumore alle sue spalle – qualcosa che graffia il selciato – può spingerlo a voltarsi senza dare nell'occhio, per accertarsi di non essere seguito. Ma è solo una stupida foglia accartocciata spinta dal vento.

È appena cominciato, questo 1926, senza promettere nulla di buono. Se non è indietro con gli esami, Moraldo è indietro con le convinzioni. Si spacca la testa sulla filosofia, ma i concetti gli esplodono dentro appena crede di averli afferrati. Kant e Hegel tossiscono alle sue spalle come vecchi zii burberi. Il punto non sarebbe nemmeno capire loro, ma piuttosto sé stesso. Dov'è lui, rispetto a loro. Che cosa pensa di preciso. Qual è la sua ossatura morale. Invidia la facilità con cui molti coetanei sanno dove stare. Nel posto in cui fregarsene di tutto, senza rimorsi; o in quello dove accalorarsi, spendersi, dare di testa. Il posto dove essere qualcosa.

Quando, nelle sue giornate torinesi, c'era la ragazza che leggeva Nietzsche, andava un po' meglio: lei sembrava guardarlo da sotto in su, nella nebbia del mattino presto, e la voce roca di lui provava a farsi seducente nominando Augusto Comte. Oppure le diceva di fermarsi. Fermati un attimo, lei bloccava la bicicletta, si alzava sulla fronte il cappello a cloche, e chiedeva perché. Lui diceva Niente, guarda i pioppi sulla collina, e lei restava stupita, anche se non c'era niente di cui stupirsi.

Ripetevano insieme per l'esame, lui le strappava il libro dalle mani, adesso tocca a me. Se ne fosse stato capace, le avrebbe letto *La filosofia di Giambattista Vico*, del Croce, fresco di stampa, con il tono di una dichiarazione d'amore. Dove ti eri fermata? Dove dice "discorrendo". Va bene, allora riprendo da lì: "gl'individui e i popoli, nel fervore del produrre o appena uscenti da quel fervore, possono forse esprimere il loro stato d'animo" – se potesse, se sapesse farlo, le svelerebbe il suo, le direbbe il posto che occupa per lui una passeggiata fatta insieme attraverso il parco del Valentino gelato: era quasi buio, la brina sulle foglie mandava una luce scintillante –

Perché ti sei fermato?

Scusami, riprendo subito, mi stavo concentrando, cercavo di capire... "quando non si rassegnano a tacere e ad aspettare, narrano di sé stessi storie fantastiche, verità e poesia commiste".

Avrebbe dovuto confessarle, a questo proposito, che non era stato del tutto sincero con lei. Fatte le presentazioni, senza valutare le conseguenze, si era spinto a parlarle di un padre impegnato a smerciare all'estero scarpe di lusso – quando invece era titolare di una semplice bottega di famiglia. Le aveva raccontato che suo nonno era stato fra i fondatori del corpo Cacciatori delle Alpi, agli ordini del generale Garibaldi. Erano le storiche giornate della primavera 1859. Le aveva sventolato sotto il naso un opuscolo che ricordava l'impresa, dove il nome di suo nonno tuttavia non c'era. D'altra parte, Moraldo non l'aveva mai conosciuto.

Scrivo su un giornale, aveva aggiunto con fierezza. In verità la sua firma era comparsa soltanto due volte nella pagina delle lettere. Ma la ragazza-Nietzsche non covava sospetti, né pareva attribuire particolare importanza alla lista di decorazioni più o meno attendibili che Moraldo sfoggiava. Sembrava, piuttosto, che le piacesse lui. Lui senza albero genealogico, lui senza medaglie. Il che, agli occhi dell'interessato, risultava tanto stupefacente, fittizio, da volerglisi opporre con tutte le forze: almeno in questo, contava riaffermare il principio di realtà.

A niente valeva la dolcezza con cui lei gli spiegava che si poteva voler bene a qualcuno anche se non scrive sui giornali. Si può voler bene a qualcuno per ciò che è. Senza nulla intorno. Lui le rispondeva male, sbraitava Che significa? Ciò che è, ciò che è, si ripeteva nella testa, e sentiva che non avrebbe saputo dirlo, di sé, ciò che era. So dire cosa faccio, cosa non faccio, ed è tutto. Diventava intrattabile. Ma la ragazza-Nietzsche non si faceva scoraggiare: più lui provava a scuoterla, a respingerla con il ventaccio del suo malumore, più lei restava salda e imperturbabile. Vedere che non riusciva a ferirla, a spezzare questa ostinazione di lei nei suoi confronti – una promessa di fedeltà sancita quando? Non se n'era accorto –, lo spingeva a essere più duro ancora. A rendere sistematico il suo progetto distruttivo. Rispondimi, parla, le avrebbe urlato, come Michelangelo a una statua, quando – nella pausa fra una lezione e l'altra – si accostavano a una colonna dell'atrio con l'intenzione di risolvere una discussione di cui non ricordavano più il motivo.

In via Cernaia, una mattina, passando accanto a una donna che vendeva fiori da un cesto, aveva avuto l'idea di prenderne un bouquet per lei. Non l'aveva fatto e gliel'aveva riferito così: ho pensato di, ma non l'ho fatto. Forse per la prima volta era riuscito a rattristarla davvero. L'aveva vista abbassare gli occhi di colpo, stendere le braccia lungo i fianchi, le mani aggrappate ciascuna a una piega della gonna, restare inerte come una bambola di pezza.

Moraldo aveva preso coscienza, quello stesso pomeriggio, di non averla mai baciata. Gli restava sui polpastrelli la sensazione – l'aveva sollevata per gioco, quella famosa sera al Valentino – del tremare dei suoi seni sotto gli abiti invernali. E quell'odore di bucato fresco. Annusando un paio di lenzuola appena piegate, adesso che era riuscito ad allontanarla, gli sembrava per un attimo di riaverla vicino. E questo non faceva che alimentare la rabbia, il malessere. Il disprezzo di sé. Aveva rotto una storia sul nascere, e non c'era un motivo. Poteva cercarlo per ore, per assolversi, ma niente, non c'era. Era stato stupido e cattivo. Era stato vile.

4

Stravolto, fissa da almeno un quarto d'ora la valigia aperta sul letto. Sale in fretta le lunghe scale buie che portano alla mansarda, piazza Vittorio angolo via Bonafous, ha detto Buongiorno signora Bovis, come sta, sono Moraldo, il professor Eugenio non è in casa? No, ha risposto la signora Bovis, è alla Biblioteca Regia per alcune sue ricerche, sa com'è mio marito, non smette mai di lavorare, e lei, caro, come vanno le sue cose? quanti esami pensa di dare per questa sessione?

La verità è che Eugenio Bovis quasi ogni giorno infila i guanti, saluta, dice Alberta io vado, e attraversa la città in tram diretto a un funerale. Da quando ha smesso di insegnare, è il suo appuntamento fisso. Nel tardo pomeriggio, per prima cosa scorre l'elenco dei film, ma è raro che i coniugi Bovis si decidano a uscire per il cinematografo; procede con le locandine teatrali e poi, spinto da una radicata, antichissima passione di nozionista, se è domenica gusta l'elenco delle tabaccherie aperte. Il mondo non può crollare, finché esiste un elenco di tabaccherie aperte la domenica. Ama le cose che si ripetono e ama il fatto che si ripetano, considera le abitudini stampelle della vecchiaia, la sola possibilità di non inciampare e cadere. L'intransigenza sugli orari del pranzo e della cena è una questione di igiene.

I libri, negli ultimi anni, hanno cominciato ad annoiarlo. Alberta non se ne accorge, e in effetti la sera dopo mangiato Bovis si siede, come da una vita, nello studio – la luce smorta della lampada sullo scrittoio lo fa sembrare più esangue, più piccolo, un vecchio insetto che da un momento all'altro potrebbe sparire, senza rumore, con lo stesso sfrigolio dell'olio che si consuma. Sarà che vede un po' meno, che la luce sembra non bastare mai, che le note a piè di pagina sono diventate una cornice grigia, che la produzione contemporanea non lo soddisfa – D'Annunzio lo ha stancato, sta invecchiando anche lui, povero superuomo! L'unica cosa che valga sempre la pena di leggere, forse, è Croce –, il punto è che sta perdendo la voglia di leggere. Gli resta da rivedere quello che negli anni ha scritto lui stesso; e poi da sfogliare i giornali, questo sì.

Piazza Castello, 19 – Galleria Subalpina – Via Roma, 27 – Via Arsenale, 1 – Via Po, 25 – Corso Inghilterra, 29: è l'esistenza stessa della città che questo elenco certifica. C'è stata la guerra, ce ne saranno ancora, ma si trovano tabaccherie aperte la domenica.

E poi, ci sono i morti. Anche questo è un segno di vita. Naturalmente privilegia i conoscenti, i sentiti-nominare. Alberta, se n'è andato il Luciani. Alberta, hai saputo? È morta la vedova Triulzi. La famiglia non accetta fiori, il corteo parte lunedì da via Consolata al civico 8. Segue il mare degli sconosciuti: Gallino Teresa vedova Teppati. Cavalier Ufficiale Ottolenghi Camillo. Commendator Ingegner Piasco Eugenio. Bovis infila i guanti, controlla l'orologio da taschino e parte. È l'anticamera della demenza senile? Forse è solo una nuova abitudine, qualcosa che nel disordine del mondo accade ogni giorno, con quella puntualità impassibile che lo rassicura. Forse anche la convinzione, la speranza, che frequentando i funerali altrui si possa rinviare il proprio.

Tant'è che nemmeno stamattina Bovis è in casa. Moraldo

lo saluterà più tardi, la signora Alberta ha aggiunto diverse domande senza punto interrogativo – Le preparo il pranzo, caro, sarà stanco per il viaggio – e si è finalmente ritirata in cucina. Il volpino le è corso dietro. Solo nella sua stanza – sua non è mai stata, né lo sarà mai: i Bovis gliel'affittano da due anni quando sosta a Torino per periodi lunghi; ma sua non è la carta da parati giallina, la selva di ninnoli, le forme di vetro soffiato, i porta-bonbon –, solo nella stanza Moraldo appende la giacca stazzonata sulla sedia, si piega verso la vecchia rugosa valigia in fibra scura, il manico gli sembra meno consumato di quanto ricordasse. Acquistata a Parigi, un regalo degli zii, diversi anni fa. Fa per inserire la piccola chiave nella serratura, è un po' difettosa. Sei invecchiata, cara valigia Chenue, le dice con astio. Cara vecchia balorda valigia. Scarica il nervosismo su di lei, la insulta a denti stretti, la scuote, la sballotta contro il letto e la parete, muove la chiave furiosamente, sembra impazzito, scatena una tempesta di rabbia contro una stupida, inerme valigia. Decide di forzarla, cerca un coltello in cucina. La signora Alberta per un attimo si spaventa, vedendolo tanto rosso in volto, ma poi riprende a occuparsi dello stufato. Moraldo scassina la serratura, la valigia si apre di scatto. La sorpresa che ha davanti agli occhi è pessima.

Una copia dell'"Illustrazione Italiana". La copertina azzurra, le grandi pubblicità di spumanti e liquori. Un quadernetto e una scatola verde con scritto ERNEMANN, e sotto ERMANOX. Dentro, una piccola macchina fotografica nera. Un oggetto piovuto dal futuro, sa appena come girarsela tra le mani.

Poi, in una cartelletta un po' logora, qualche decina di fotografie. Infine, una boccetta di profumo con la scritta HOUBIGANT.

La valigia accanto al letto emana un bagliore strano, che Moraldo non riesce a ignorare, combattuto fra l'imbarazzo feroce di trovarsi senza biancheria, senza abiti, senza niente, e lo stupore di questo insensato scambio di bagagli. A che punto del viaggio può essere accaduto? E come? Gli sembra di non essersi mai separato dalla valigia, nemmeno per un minuto. Deve invece, senza volerlo, aver preso sonno: l'unica spiegazione è questa.

Comincia a spogliarsi, lancia le scarpe sul pavimento una dopo l'altra, si sfila i pantaloni scuri di gabardine, la camicia, le mutande. Resta seduto sul bordo del letto, desolato, una canottiera azzurra, il sesso aggricciato per il freddo. I mutandoni lunghi di lana sono nella valigia smarrita. C'è, sulla parete di fronte a lui, una specchierina di legno intarsiato. Cerca di evitarne il riflesso. Si sdraia sul letto, sente lo scricchiolio delle assi di noce e questo sì, è un rumore familiare. La coperta sa un po' di polvere, è scialba e infelice come la carta da parati. Ama, di questa stanza, solo il tavolino da lavoro di mogano, stile Luigi Filippo, comprato a Venezia dagli avi di Bovis, metà del secolo decimonono, con i piccoli cassetti. Da scrittoio, alzando il piano rettangolare, diventa un eccellente tavolino da disegno. Se mai un giorno dovessero chiedermi di portare via con me qualcosa, pensa Moraldo, direi questo tavolino. Ma non accadrà. E comunque, per il momento, insieme alla valigia ha perso i suoi progetti, i suoi disegni.

La notte scorre agitata, si sveglia di continuo, si alza per andare a bere un po' d'acqua e ricorda di non avere una vestaglia. Infila i pantaloni, l'aria fuori dalle coperte è gelida, i piedi si ghiacciano subito. La signora Alberta dorme sulla poltrona con un libro rimasto aperto tra le mani, sul petto, come una grossa farfalla chiara. Sul tavolino accanto, una tisana che si raffredda all'infinito.

Va sempre così. Per tutta la sera Alberta alza di continuo lo sguardo dal libro alla pendola dell'orologio a muro, per un controllo costante: quasi fosse una delle Parche, costretta a sorvegliare i meccanismi del tempo. Ma non è passato che un minuto, al massimo due. Fino a che non si addormenta, fino a che il volpino bianco si accuccia ai suoi piedi e smette di abbaiare, come fa lungo tutta la giornata per qualunque rumore sospetto o più acuto. È un rimbrotto continuo, con lei che gli dice di smetterla una, due, tre volte, e poi gli assesta uno schiaffo leggero a un lato della coda impazzita. Adesso tace anche lui, emette solo un gorgoglio sottile come di acqua che bolle. A osservarlo bene, ogni tanto si muove in preda quasi a uno spasmo, forse per via di qualche sogno agitato.

La verità è che Moraldo si vergogna dei Bovis. Stare in un pensionato studentesco, questo vorrebbe, ma le ansie della madre lo avevano convinto così. Però ogni volta c'è da sgusciare fra le domande indiscrete, da far capire e non capire. Sente che da una parte c'è la vita e dall'altra c'è lui, la mansarda dei Bovis, il volpino isterico.

È passato del tempo, ma ancora un insopportabile senso di colpa lo stringe alla base del collo, se ricorda l'accesso di rabbia con cui aveva letteralmente sbriciolato un insulso animaletto di vetro soffiato che gli pareva lo guardasse con aria di scherno. Non aveva detto niente, né gli era stato chiesto, ma sentiva come un'ombra sporca, che da allora non è mai sparita.

Altrove, nella grande città, pare che il buio abbia frenato, insieme ai rumori, anche la corsa del tempo. Sono ferme le giostre di piazza Vittorio, serrati i chioschi del carnevale, il fiume è solo un fruscio inavvertibile, come quello dei pioppi sulla collina. A volte, con un forte schiaffo di vento, l'acqua arriva a bagnare i portici. Può fare paura Torino a quest'ora, i rari passi sui marciapiedi rimbombano e mettono addosso inquietudine, i portoni a volte sbattono forte, come se qualcuno fosse corso al sicuro. Le nuvole che si addensano forse porteranno neve, o almeno nevischio. Il gas è scarso e così si fatica a tenere calde le pentole, le minestre di fagioli si freddano subito, diventano compatte come gelatine. C'è chi dorme con due strati di vestiti addosso: il febbraio che comincia, più di altri mesi, è un nemico sleale e feroce. Febbraio corto e amaro.

Fuori, oltre l'imbuto lungo di questa piazza, un uomo di nome Giacomo, di anni cinquantadue, ex dipendente municipale, combatte contro il freddo. Morirà assiderato davanti al portone di una chiesa, domani, alle prime ore del mattino.

La salma dell'infelicissima Mariannina giace immobile in una stanza del laboratorio dell'Istituto di Fisiologia dell'università, in via Massimo D'Azeglio. Il ticchettio dell'orologio è l'unico suono che incrina l'angoscioso silenzio di questo spazio. Domattina parteciperanno al corteo funebre gli amici della comitiva di sciatori che erano con lei il giorno dell'incidente. Forse ci sarà anche il signor Bovis, entrerà in chiesa come uno che passi di lì per caso.

L'irriducibile borseggiatrice Martinengo Teresa trascorre la sua prima notte in carcere. Gli agenti municipali l'hanno trovata in possesso di 533 lire dopo uno scippo a Porta Palazzo.

Un uomo di nome Luciano, dottore in Scienze commerciali, ripensa con soddisfazione alla sua impresa pomeridiana. Su via Nizza, è riuscito a placare un cavallo imbizzarrito afferrandolo per il morso e a mettere in salvo il ragazzino alla guida del carro bagagliaio.

Un giovane uomo di ventiquattro anni, dottore in Legge, di nome Piero, dentro un piccolo appartamento al primo piano, via Fabro numero 6, prepara la valigia per il viaggio che lo condurrà a Parigi. Potrebbe essere una notte interminabile, potrebbe essere l'ultima a Torino. Sua moglie gli porge le camicie e le giacche piegate. Finge di non essere preoccupata, invece è assediata dalla paura. Cambia stanza in fretta, di continuo, quando si accorge che tornano le lacrime. Poi guarda suo figlio che dorme, ha trentacinque giorni – e si calma.

6

Torino. Via Fabro 6
Martedì 2 febbraio

Lei è incinte

Il cuore, gli sembra, da un momento all'altro potrebbe spezzarsi. Piero riconosce il battito strano che sentiva alla fine dell'autunno, quando era costretto a passare in casa giornate intere, e suo figlio stava per nascere. Esausto, bastava che lei si allontanasse un minuto per richiamarla subito, per favore torna qui, si sentiva stupido e bambino come forse mai era stato, comunque più dolce e più indifeso del bambino che è stato: con quelle orecchie eccessive come piccole ali, i capelli cortissimi, il broncio di sfida. Lei si muoveva intorno al letto, sistemando di continuo le lenzuola, i cuscini – c'era tutto questo fruscio di stoffe, e c'era questa sua pancia di ragazza che da qualche mese era già madre da sempre.

Eri tu, Piero, che dicevi Se voglio posso guarire, adesso perché non lo dici? Basta volerle le cose, no? Basta infinitamente volerle. Eri tu a dire così, ti veniva la febbre, in una settimana mi rimetto, con un ghigno saltavi già in piedi. Se volessi restare sette volte sotto il tram e non morire, ci riuscirei, la volontà è tutto. Sono le sue frasi, lei pensa, ma adesso lui non le ripete più e questo un po' le fa paura. È come se avesse paura della sua paura. Si sommano l'una all'altra e la spingono sul precipizio del pianto. A lui non piace vedere lacrime, ma lei stavolta non sa nasconderle. Si asciuga portandosi agli occhi il fazzoletto ricamato con cui poi gli tampona la fronte. Sistema di nuovo i cuscini, gli ravvia i ricci sudati, gli avvolge intorno al collo uno scialle. Senza i suoi piccoli occhiali tondi ha un'espressione persa, le iridi azzurre sono così chiare da sembrare trasparenti. Didì, le dice, sono triste e sono solo. Un po' per scherzo, un po' no. Lei vorrebbe dargli coraggio, assicurargli che tutto andrà bene, stai per diventare padre, te lo ricordi? Ma non dice niente, pensa a come le cose da un momento all'altro possono precipitare. Vanno, seguono il loro corso sereno per giorni, per settimane, per anni anche, fino a che qualcosa s'incrina e tutto gira al peggio.

Per esempio, ci si ammala.

Oppure, il questurino bussa alla porta di casa.

Ha un viso largo e schiacciato, chiede di Piero, lei risponde che è malato, il questurino non sembra fidarsi, lei ripete è di là, è a letto malato, il questurino dice La cosa va notificata. Venga, lei dice, venga pure. Il questurino si ferma sulla soglia e per un istante ha la sensazione che la camera sia vuota, che non ci sia nessuno, la luce grigia del mattino di novembre e di via Fabro fanno sembrare di marmo i mobili, gli oggetti, le pieghe delle coperte. L'editore giovane eccolo là, con la testa piccola sprofondata fra i cuscini, il volto ha lo stesso bianco delle federe, il corpo è stretto e lungo come un fuso. Buongiorno, dice il questurino, ma a voce bassa, con un'ansia imprevista, forse un po' colpevole. Ma questo è solo un ragazzino, pensa. E porge alla moglie la diffida della Questura di Torino a cessare da qualsiasi attività editoriale.

Lui non commenta, lei gli sorride, vorrebbe che dicesse qualcosa, non sarebbero parole rassicuranti. È dalla fine dell'estate che Piero ragiona su Parigi, andare a Parigi come l'unica soluzione per resistere. Dividersi fra due città, finché sarà possibile. Se le cose andassero come lei le sogna, ci sarebbe tutto il tempo di veder crescere un po' il bambino, appena il giusto per partire tutti e tre. Ma – e se non fosse così? Allora lui per distrarla le dice Adesso leggimi il giornale, sono troppo debole, mi cadrebbe dalle mani. Lei siede sul bordo del letto. I socialisti si dichiarano pronti a governare da soli o in collaborazione purché prevalga il loro programma. Lui guarda il soffitto. Lei si schiarisce la voce, la imposta: i socialisti non si sono dunque lasciati tentare dalla combinazione Briand. Si diverte di più a spulciare le notizie assurde della cronaca. L'uomo-mosca cade e si frattura una gamba. Un apparecchio del volo di D'Annunzio su Vienna si sfascia nel Biellese. Un dottore russo avrebbe scoperto il sesso dei minerali. Oppure gli spettacoli di stasera, all'Alfieri e al Carignano. Così, tanto per saperli.

Poi lui è guarito in tempo per stare in piedi nei giorni in cui nascerà suo figlio. Le notti soprattutto sono lunghe e difficili, bisogna stare attenti che non si spenga la stufa, può servire acqua bollente da un momento all'altro. La ragazza ha un'aria stanca ma serena, sembra solo un po' più vecchia dei suoi ventitré anni. C'erano già quelle piccole rughe come tagliuzzi vicino agli occhi? Altre donne – madri, amiche, vicine di casa – entrano ed escono dalla camera, ombre scure e veloci, indaffarate, emettono impercettibili sussurri, i segreti di un regno e di un mistero che adesso espelle gli uomini, che non li chiama più in causa. Lui, con il pensiero, non si addentra in quella zona: c'è qualcosa che, appena lo attrae, pure lo respinge, una verità che è solo del corpo – greve, carnale, calda – e non più dello spirito, gli dà quel po' di nausea che combatte spostando pile di fogli sul piccolo scrittoio, dandosi da fare come fosse piena mattina, però a vuoto. Le cose da smaltire sarebbero tante, bozze da correggere, lettere a cui rispondere, e tuttavia ogni gesto consueto diventa quasi innaturale: il movimento della vita quando comincia, o quando finisce, scalza tutto il resto, è un vento inarrestabile che scompiglia i pensieri, ma lui insiste, si ostina, tiene il punto, comincia con una citazione di Turgenev che descrive Gogol' come un semplice contadinotto della Piccola Russia, basso e tozzo, piccoli occhi bruni, labbra sporgenti. Copia dal francese un altro brano che conferma la descrizione, e poi scrive: *Ritratto spirituale*.

Lascia una riga e la macchina per scrivere si incaglia lì, in quel bianco, i rumori che arrivano dalla camera si fanno più insistiti, metallici, come quelli dei tasti: *La vita di Gogol' è un esempio di sacrificio alla poesia*, scrive – mentre entra l'ostetrica con la sua grande borsa, lui non se ne accorge subito.

Soffrerse perché la sua arte fosse serena, e scrupolosamente – e scrupolosamente l'ostetrica disinfetta la camera, c'è una nuvola di talco, l'acqua di là bolle, la ragazza stringe gli occhi, suda, mentre fuori si gela e l'anno sta per finire con un cielo alto e senza nuvole.

Soffrerse perché la sua arte fosse serena, e scrupolosamente volle allontanare dal lettore ogni segno di fatti personali e di turbamenti – adesso lo turbano i gemiti soffocati che superano la porta della camera, attraversano il piccolo corridoio e gli arrivano alle spalle. Si alza, guarda fuori, c'è solo un muro di buio. Passa la mano sulla copertina dei racconti di Gogol', è come una carezza, ah, giovanotti in frac innamorati, con le gambe che tremano come a lui in questo istante, come al giovane artista Piskarev, contegnoso e timido, troppo romantico per i suoi gusti, come per Piskarev anche per lui stanotte la stanza comincia a scomparire – *soltanto il lume della candela traspariva attraverso i sogni che lo sopraffacevano, quando a un tratto un colpo alla porta lo fece trasalire e ritornare in sé.*

Il colpo alla porta annuncia che l'attesa è finita, combacia con il primo pianto-urlo del neonato che è suo figlio. Deglutisce, sente la testa vuota, si aggiusta gli occhiali sul naso, percorre il breve e stretto corridoio che è diventato lungo, interminabile, disorientante come la Prospettiva Nevskij. La prima cosa che cerca, e non trova, è Paolo. La veste larga e scura dell'ostetrica glielo nasconde. Poi si volta e c'è questo esserino paonazzo contenuto da una sola mano dell'anziana donna-sfinge, senza espressione, che lo avvolge in un panno bianco e lo depone accanto alla madre. Avverte, senza volerlo, qualcosa di sacro in tutto questo, Natale è trascorso da appena tre giorni: entra nel quadro come padre e come pastore adorante, scosso, nella stessa luce tenue di una tela di Tiziano vista a Londra l'estate scorsa. Chino sul letto, la sua sagoma è un punto interrogativo. Bacia la moglie sulla fronte, lei gli sorride, pallida, spossata, dolce – una vecchissima ragazza appena tornata da luoghi estremi. Vorrebbe accarezzare il figlio, ma sente di avere dita inadeguate al gesto. Una cosa tanto fragile e tanto viva gli pare di non averla mai conosciuta.

Torna nello studio, cerca di riaversi. Tutto sembra uguale ma è diverso, si siede allo scrittoio e da questo momento è un padre. Gli si assiepa alle spalle una folla, il terribile ubriacone Ivan Jakovlevič, Akakij Akakievič con i suoi fogli da copiare, il condottiero Taras Bul'ba, il consigliere Pavel Ivanovič Čičikov – il loro torbido colore grigio, i volti nascosti nel bavero di vecchi cappotti, qualche fiocco di neve impigliato nella stoffa pesante, i cappelli, gli ombrelli, i cuori che battono forte. Riprende dalla frase rimasta sospesa: *Sofferse perché la sua arte fosse serena, e scrupolosamente volle allontanare dal lettore ogni segno di fatti personali e di turbamenti autobiografici.*

È tardi, è tardissimo, tra poco sarà l'alba, madre e figlio dormono, la casa sprofonda in un silenzio assoluto. Le carte che sfoglia veloce in cerca di una citazione fanno un frullo forte, come uno sbattere d'ali. Gli serve adesso riempire queste virgolette aperte: "Mi sento la forza di assolvere un grande e nobile compito per il bene della mia patria, per la felicità dei miei concittadini e dei miei simili. La mia anima vede un angelo mandato dal cielo che la chiama imperiosamente al fine a cui ella aspira".

Sono propositi di Gogol' ventenne, postilla. E non vorrebbe pensare, invece pensa al piccolo angelo che anche a lui, da bambino, pareva di avere accanto. Lo sentiva, si sentiva guidato. Fino a che, da un giorno all'altro, qualcosa si era rotto. Così, senza avvisaglie, come la fine di un incantesimo. Lo cercava. Lo pregava. Niente. L'angelo non rispondeva più.

Né risponde in quest'ultima, faticosa notte torinese. È tutta di gesti meccanici, oggetti, abiti spostati di stanza in stanza. Il silenzio, quando si dilata troppo, è un urlo. Ma il dovere è sorridere. Lei dice Quando Paolo avrà dei fratelli e avremo una casa a Bruxelles, e un'altra a Ginevra. Lui dice Sì. Poi dice Non tremare, il nuovo lavoro e la libertà mi faranno guarire. Meglio rimandare il momento in cui dirsi buonanotte, meglio prendere tempo. Bisogna farsi proteggere dalle notti che precedono un viaggio, stare dentro i loro minuti come nell'ultimo luogo sicuro. Quando è ora di allattare il bambino, lei si stende sul letto, si tira su con la schiena, fa quel gesto che lo imbarazza, a cui non si abitua, di portare fuori un seno. Qualcosa lo agita in questa visione così naturale, così animale, ma decide – stanotte – di stendersi accanto a lei, di poggiare la testa sul seno coperto. Quello nudo è a un centimetro dal suo naso, è incredibilmente gonfio, la pelle chiara, macchiata da piccoli nei e attraversata dal blu delle vene, è così sottile e tesa che sembra pronta a squarciarsi, l'areola larga e scura, un magnete per il minuscolo, inespressivo viso di Paolo, gli occhi stretti, la mano abbarbicata. Tutto questo emana calore. Il corpo, emana calore.

Tienimi stretto come se fossi anch'io il tuo bambino. Lo dice piano ma d'un fiato, perché è una frase enorme, spudorata. Lei gli chiude la testa con il braccio libero e sente figlio questo padre di suo figlio. Lo sente arreso – a lei, alla notte che finisce e glielo strappa dal seno.

7

La prima persona che Moraldo cerca arrivando a Torino è sempre Amedeo. Per meglio dire, deve stanarlo. Attraversa la città in tram e di strada in strada la vede sfumare, diradarsi, diventare altro. Spazi più larghi, più verdi. La natura riprende possesso del mondo, non l'ha mai lasciato – il fiume, la linea bianca e aguzza delle Alpi, lontano. Come un transatlantico, passa il Lingotto – lungo, fitto di finestre e finestroni, sembra un pezzo di natura anch'esso, una propaggine, un imprevisto minerale. Oltre via Nizza, fra quei caseggiati bassi, c'è l'appartamento che Amedeo, morti i genitori, ha ereditato e divide con un cugino arrivato dal Sud.

Hai sentito del gol di Schiavio, domenica? Una magia. Quest'anno si vince lo scudetto. Ah, topaccio di campagna, vieni qua, dice Amedeo, fatti abbracciare.

Ridono. Il topo di campagna sente che si è aperto un varco nel malumore, che la rabbia sta svaporando, a furia di sciocchezze pronunciate con tono solenne. Davvero devo prestarti delle mutande? Ah, ride Amedeo. Ma io, lo sai, sono più grande di te in tutto, topo-di-campagna-rimasto-senza-mutande!

Dietro la nuvola di fumo della sigaretta, il viso dell'amico è quello di un ragazzo stanco; gli occhi, di un verde spento, sono ingigantiti dalle lenti spesse cerchiate di nero. Amedeo

– vorrebbe dirgli, ma si blocca. C'è un istante, nella cassa di risonanza del riso, in cui Moraldo sente con chiarezza un altro suono – quegli scoppi gutturali: basta una lieve disattenzione perché si trasformino in pianto. Amedeo, vorrebbe dirgli, perché tutto è diventato così difficile?

Quando smetti di essere un bambino, non te ne accorgi. È una campanella che suona più a lungo del previsto, o semplicemente il risultato di un'estate. Quando smetti di essere adolescente, no, nemmeno di questo ti accorgi. Stai correndo. Stai per perdere un treno. Sei concentrato solo in quella corsa – Che scemo che ero, mi stavano scoppiando i polmoni: se l'avessi perso, raccontava Amedeo, non me lo sarei perdonato, e sono saltato su che si era già mosso dal binario. Dal cielo veniva acqua a secchi. Erano quattro anni fa, mi sembra un secolo, è stata una bella avventura, tu dove diavolo eri, Moraldo? Dormivi? Succhiavi il latte da mamma? Accidenti a te, topaccio, sempre distratto, sempre preso dalle tue furie. Se ci conoscevamo prima, se eri nato prima, ti portavo con me.

E quando smetti di essere giovane?

Lì no, impossibile non accorgersi: una sequela di avvisaglie, di avvertimenti ti incalza, conferma che si sta esaurendo la scorta di benevolenza che il tempo e il mondo ti hanno destinato. Che cosa si guadagna, crescendo? Dove non avresti immaginato conflitti, è proprio là che esplodono, con una violenza che può lasciarti stordito. Non c'è quasi più niente che somigli a un dono. Tutto ha l'aria di una promessa non mantenuta. Che faccia avrebbe fatto Moraldo se, nelle nuvole dei loro fumetti, i personaggi del "Corriere dei Piccoli", se Tom, il cane Medoro, Fortunello e tutti gli altri, se all'improvviso avessero cominciato a dargli notizie precise sul futuro che lo attendeva? Se gli avessero svelato che crescere avrebbe portato a questo. A questo pugno di mosche. Ma la primavera di bellezza quando arriva? è già passata?

In una stupida storia illustrata di tanti anni fa – lui ne

aveva sei o sette – c'era Pierino e c'era un orribile fantoccio di cartapesta. Pierino provava a sbarazzarsene in tutti i modi. Lo regalava a un bambino povero, ma la tata, credendolo rubato, lo riconsegnava al legittimo proprietario. Provava a lanciarlo dalla finestra, ma il cane Medoro, diligente, glielo riportava scodinzolando. Lo buttava giù per il camino e se lo ritrovava nella minestra servita a cena. *Disperato ormai Pierino/ va a dormir nel suo lettino,/e fa orribili sognacci/ di pupazzi e di pagliacci.* E c'era questa vignetta un po' inquietante con Pierino nel suo letto, la faccia atterrita, assediato da una folla di pupazzi di cartapesta tutti identici.

A Moraldo – anche quando l'età avrebbe dovuto impedirglielo – è sembrato molte volte di vederlo. Spuntava da qualche angolo, e gli rideva in faccia. Il fantoccio di quella storia, con un cappello alto simile a un cilindro, gli occhi a palla, il corpicino da scimmia ammaestrata. Spuntava al lato della porta, sul campetto da calcio. Se segnano, sembrava dicesse, la colpa è tua. Spuntava mentre fuori da scuola chiamava una ragazza – Barbara! – e aspettava che in quel vociare il suono del nome la raggiungesse, e si voltasse, doveva regalarle un fiore che nel frattempo si era afflosciato. Spuntava nell'odore di borotalco della stanza di quel casino in cui si era finalmente convinto a entrare, con una tensione che gli rendeva le gambe di latta. Spuntava, il fantoccio, a ogni caduta dalla bicicletta – le ginocchia massacrate e una paura che lo faceva piangere. È spuntato perfino l'altra sera – in casa Bovis, mentre armeggiava con quella valigia identica alla sua e, esaurita la pazienza, la strattonava come per costringerla a una reazione.

Amedeo, al racconto, ride con più clemenza del fantoccio. Ma come hai fatto a scambiarla? Sei proprio un fesso, amico mio. La valigia di un fotografo, pensa quanto sarà contento!

E io, dovrei essere contento?

Ma perché, cosa avevi tu di così importante?

Abiti. Libri. Il libretto universitario.

E che sarà mai? Qualcosa te lo presto io.

Avevo una bella giacca. Nera, filettata. E gli appunti per un progetto.

Un progetto! Sarà al sicuro nella tua testa, almeno quello.

No, io le idee me le perdo facilmente. Ti va di vederle queste fotografie? Ce ne sono di belle.

Amedeo le scorre con distrazione, una ogni tre o quattro indugia appena più a lungo. Angoli di città, scorci di strade, di piazze, gente che cammina, niente più di questo. Gente povera, gente ricca, bambini che giocano accanto a una fontana. Due uomini parlano davanti a un negozio di liquori. Dietro di loro, un altro uomo con un cappotto chiaro lungo fino ai piedi sembra essersi accorto dell'obiettivo. Nel punto di vista scelto dal fotografo, c'è qualcosa di inusuale, di inaspettato. Poi, i tram che passano, un cane, un vecchio che mangia seduto su una panchina, tutto raggomitolato su sé stesso. Biciclette. Una sposa con il suo bouquet scende dalla carrozza per avviarsi a una festa nuziale. Ha una faccia stretta e il naso cicciuto. Ride, disarmata. L'espressione del marito è insondabile, nascosta dai baffi.

8

Andare a scegliersi una giacca, un paio di camicie, racimolare un guardaroba sufficiente per la sessione d'esami, gli sembra un'impresa quasi eroica. Si sente goffo: girare per acquisti, sostare davanti alle vetrine – appena gli arriva il riflesso del suo viso, se ne ritrae. Dove si comprano l'eleganza e la disinvoltura? Mettendo piede in una sartoria, per qualche speciale occasione, tenendo stese le braccia come un crocifisso mentre il sarto prendeva le misure, Moraldo aveva sperimentato la vanità. Un abito su misura può mutare la nostra percezione del mondo, e il mondo, per un abito su misura, può mutare la sua percezione di noi. Meno che adolescente, con sua madre intorno, vasta e calda come un'ombra estiva, Moraldo aveva intuito che essere – essere uomini – vuol dire anche questo: sapersi vestire. I vestiti sono il mondo, aveva pensato. Lo pensa ancora, lo pensa sempre. Insieme alle preghiere aveva appreso che le scarpe devono essere eternamente lucide, in ordine: le scarpe devono brillare. Non permettere mai a nessuno di storcere la bocca guardandoti i piedi. Il lucido, Moraldo, portatelo sempre appresso, mi raccomando, lucidarsi le scarpe è come lucidarsi la faccia. Aveva molta meno importanza l'alone giallino sulle mutande lunghe, la toppa larga sul sedere, il buco nella calza. Conta ciò che si vede.

Ai grandi magazzini sceglierà due paia di calzoni, uno chiaro, uno scuro, una giacca a quadrettoni di flanella, una sciarpa. Un colletto Glasgow con le punte arrotondate, una cravatta lunga, ma da spenderci sulle cinque lire o poco più. La biancheria, certo; e poi basta, avrà ripreso possesso di sé, con i bustoni in mano muoverà verso piazza Carignano: quell'eleganza ha il potere di acquietarlo, di farlo sentire difeso. Infila la porta di un caffè, sceglie un tavolo accanto alla vetrata, tira fuori il giornale per darsi un tono, il taccuino per appuntare qualcosa, ma i pensieri sono fermi.

Il signore desidera?

Chiede un brodo e un piatto di verdure lesse. Dopo qualche minuto, dietro al vapore che gli arriva sul naso, le croste di pane sono battelli nella bonaccia della minestra. Lo assale, senza motivo, una tristezza infinita. Sorbisce veloce il brodo, si scotta la lingua, ma sente finalmente anche un po' di calore.

Il signore desidera un dolce, un caffè?

La domanda gli suona come un'intimazione. Moraldo vorrebbe rispondere che no, il signore ha esaurito la scorta di desideri, non sa più cosa desiderare. Invece chiede una pasta, basta che sia grande, con la panna, tantissima panna, una montagna di panna, basta che porti il brillio improvviso ed effimero che portano i dolci nelle giornate grigie.

L'idea di passare il pomeriggio a studiare per l'esame di dopodomani, gli dà la nausea. E poi non può. I libri erano in valigia, sarebbe ora di ricomprarli. Vorrebbe cercare un'alternativa, farsi tentare dalla città, farsi letteralmente rapire, scivolare nel brusio del Balôn, dove si trova tutto, robaccia e grandi occasioni. Un cimitero di oggetti allegro e straccione, rottami coperti di polvere e graffi, chiavi che non aprono più niente, serrature che non saranno più aperte, stoffe, giocattoli da due soldi, cannocchiali, lamette, tutto immerso nel parlottare scomposto delle contrattazioni, nei richiami dei venditori – *Bela madamin!* La soluzione sarebbe perdersi in tutto questo, nel mercato del mondo, fino a scomparire, non avere più un nome, una necessità, non dover essere più qualcuno, fino insomma a essere qualcosa – qualcosa di insensibile – come una moneta da collezione, un organetto di Barberia scassato, un coltello arrugginito, un pallone sgonfio. Fino a essere niente.

Moraldo si stringe nel pastrano blu e affretta il passo. Socchiude gli occhi fissando un punto imprecisato davanti a sé, invaso da una collera cieca, come un conte di Montecristo che avesse dimenticato le ragioni della vendetta. Vi farò vedere io, vi farò vedere! Nell'istante stesso in cui qualcosa sembrava tornare a essere chiaro – il prossimo gesto, una minima convinzione a cui tenere fede –, un muro di nebbia calava rapido come una ghigliottina su via Cernaia e nella sua testa. Niente, non si vedeva più niente. Moraldo era già di nuovo inghiottito dalla propria apatia, da un torpore ozioso e indifferente.

L'unica cosa concreta che farà entro sera sarà dettare un annuncio alla "Stampa": cartoline e fotografie sui banchi del Balôn gli hanno rammentato di essere proprietario indebito di una valigia altrui. Il fotografo, o l'appassionato di fotografia, starà cercando ancora? E che idea si sarà fatto, invece, dell'uomo sconosciuto a cui appartengono quegli abiti un po' stazzonati, tutt'altro che costosi, della biancheria e del pettinino, dei libri di filosofia, del quadernetto nero con il bordo rosso, fitto di appunti e di versi abortiti alla maniera vecchia, stravecchia e sterile di Arturo Graf? *Sciagurato mio cor, tu che nemico… sciagurato mio cor, ti maledico.* Provava a tenere le parole nella strettoia dell'endecasillabo come avrebbe fatto un gioco di enigmistica, per quella stessa pallida soddisfazione.

Per il resto, c'erano caricature. I foglietti smangiucchiati su cui accumulava facce. Facce anonime con un dettaglio che gli era rimasto impresso: un naso, un'espressione. Facce illustri – politici, letterati – di cui talvolta sentiva, estremizzando i tratti, di cogliere un segreto. Tuttavia, anche quando le trovava riuscite, se ne vergognava. Nel grottesco della caricatura, nella verità forzata di un volto che non è più come è, nel ghigno che riesce a suscitare, nell'essenza malevola del riso, Moraldo sapeva di essere come un re nel suo regno, sul punto però di accorgersi che quel regno non valeva niente, era uno sputo di terra, senza ricchezze né bellezze, e lui un re solo, senza sudditi.

D'altra parte, se avesse saputo dipingere, avrebbe dipinto. Ma i corpi sulla tela – provava e riprovava – gli si accartocciavano sotto il pennello, non stavano in piedi, muscoli e arti diventavano scie di colore. Presentato da un amico, qualche volta si era affacciato in una scuola di nudo, e come una scudisciata sul viso si era sentito dire che non si arriva all'astrattismo senza passare dal realismo. Era uno stanzone bianco e disadorno – qualche busto di gesso, i cavalletti sparsi e gli allievi sulle loro seggioline. La concentrazione, mista all'ambizione, faceva somigliare i loro volti a musi di cane. Lui, almeno, li avrebbe disegnati così. Alzavano cento volte gli occhi dal foglio per riafferrare un dettaglio del corpo della modella, senza avvertire più – questo era chiaro – nessun trasporto verso le sue forme, verso i seni piccoli o il pelo elettrico e scuro del pube. Avrebbe poi saputo, invece, che in molti l'avevano già avuta nel letto.

9

Torino. Via Fabro 6
Mercoledì 3 febbraio

Per colazione, considerato il viaggio che ha davanti, Piero potrebbe mangiare un po' della minestra di fagioli rimasta dalla sera prima. Lei la scalderebbe per bene. Lui risponde che no, non ha fame, prenderà semmai qualcosa alla stazione. Lei pensa che lo stomaco chiuso è un segno, di quando si è molto, molto preoccupati. Allora le viene di nuovo da piangere, per questa cosa che conosce già: la sua preoccupazione. Lui le dice Ma se ora piangi, come posso partire sereno – ed è la seconda o terza volta che ripete questa frase. Lei vorrebbe dirgli di non badare al pianto, vorrebbe dirgli Lo sai come sono fatta, io piango sempre, piango troppo, ti è sempre sembrata una cosa da donne, piangere, una cosa stupida, ma io provo a ricacciare indietro le lacrime ogni volta che le sento arrivare, sai amore mio, ci provo ogni volta, te lo assicuro, però non sempre ci riesco. Adesso mette la testa sulla spalla di lui, che apre il braccio come un'ala, per avvolgerla, per scaldarla un po' in questo mattino gelido di febbraio, con un cielo basso colore del marmo, forse viene a nevicare, che dici Ada? Se nevica stai attenta a Paolo, mi raccomando, fallo stare caldo. Non c'è bisogno che glielo dica, lo sa, e infatti lei risponde Non preoccuparti, a Paolo ci penso io, tu pensa a te, a non ammalarti, a stare coperto, hai questa tosse che non va via.

Piero si chiede se c'è qualcosa che possa avere dimenticato. Un istante dopo pensa che il problema è proprio non poter dimenticare niente. Lui sempre così proiettato sul futuro, immerso nel presente, così ferocemente difeso dalla tentazione della nostalgia, adesso costretto a dire addio. La lampada, lo scrittoio di noce rivolto alla finestra, i libri – gli mancheranno uno per uno, anche quelli che non sa più di avere. Amati come poco altro al mondo: li sfiora. Hanno dato senso alle giornate, le hanno riempite. La precisione con cui ha annotato sul frontespizio la data di acquisto era maniacale

Serra, *Esame di coscienza di un letterato*, 29 aprile 1919.

Torquato Tasso, *Opere*, 23 giugno 1919. Diciott'anni appena compiuti.

De Sanctis, *La giovinezza*, 25 giugno 1920.

Papini, *L'altra metà*, 11 marzo 1921.

E poi, più lontano, tre volumi di storia della letteratura italiana acquistati nel corso di un anno, dal novembre 1916; le opere di Petrarca sotto Natale di quello stesso anno.

Tanto i libri non si muovono, Piero – lei lo guarda dalla soglia dello studio, i libri aspettano, si caricano di polvere, diventano fragili e gialli come le mani dei vecchi, però restano. Solleva la valigia, la porta verso l'ingresso. Con gesti veloci si alza gli occhiali sul naso, afferra il cappotto nero dall'appendiabiti e una lunga sciarpa. Con la scusa di bere un sorso d'acqua si riaffaccia nel tinello, dà ancora un'occhiata alla loro camera, alla culla in cui Paolo dorme. Sente uno strappo: questo guscio appena conquistato va già in pezzi, è ingiusto; a bilanciare l'incertezza della vita intellettuale è quella familiare, domestica, e lui l'ha desiderata a lungo. Ma adesso l'impegno è ricostruire tutto altrove – la casa editrice, la rivista, tutto. Bisogna guardare avanti, Ada e Paolo lo raggiungeranno presto, e finché non sarà possibile tornare indietro, casa sarà lì. Lei lo bacia sulle labbra alzandosi sulle punte dei piedi, gli tiene il viso fra le mani, gli aggiusta il cappello. Ti scriverò appena arrivo, le dice, così avrai subito un indirizzo a cui farmi avere notizie.

Lei resta sulla porta, lo guarda scendere le scale dondolando per il peso della valigia, e adesso sta piangendo, ma tanto lui non la vede. Eccolo che adesso si volta, sorride con un sorriso giocoso, quando verrai a Parigi non ti dimenticare il Pussin. Il Pussin, pulcino, è Paolo. Ada tira su col naso, ha la sensazione che sia troppo il peso di quella valigia – è solo un ragazzo di ventiquattro anni, anche se fa l'uomo da sempre: partiva per Firenze, per Roma, vedeva Salvemini, vedeva Gentile, vedeva chiunque, lei gli chiedeva per lettera, come ti sei trovato in mezzo a tutta quella gente con la barba? Un giorno a lui era scappata di bocca una frase: Se non ci fossi tu, mi ammazzerei. Le era sembrata esorbitante, sconfinata come doveva essere la *res extensa* nella mente di Cartesio, se aveva capito bene. Lui non l'aveva più ripetuta, ma per lei ciascuna di quelle parole, la congiunzione *se*, l'avverbio *non*, l'avverbio *ci*, il predicato *fossi*, il pronome *tu*, e tutto il resto erano rimasti a lampeggiare davanti ai suoi occhi come fuochi di un bengala. Erano parole uscite dalle stesse labbra sottili che le dicevano Oggi posso perdere del tempo per te, e appena lei se ne adombrava, ridendo lui spiegava che era stato un po' aspro in omaggio al senso anagogico. Va bene, lei diceva, l'avevo immaginato, ma poi una volta rientrata in camera sua avrebbe dovuto ricordarsi di cercare *anagogico* sul dizionario.

La carrozza è pronta sotto casa, Ada sente il rumore dello sportello che si chiude. Va alla finestra e si accorge che sta nevicando, che ha cominciato adesso, scendono fiocchi grossi, con una furia da piccola tempesta. Allora apre i vetri, senza un motivo preciso, magari solo per chiamarlo: Piero! Lui è già salito, lei alza la mano e subito lo fa anche lui, sporge il viso in avanti, ma l'espressione del suo volto non si vede. Lei resta impietrita. I fiocchi di neve impazziti, come schegge, come piume, le urtano le guance, si fermano sulle ciglia, scivolano sulle labbra. Sente ghiacciare anche le lacrime.

Se volessi restare sette volte sotto il tram e non morire, ci riuscirei. La volontà è tutto: prova a ripeterlo, prova, si dice. Le cose che vuoi accadono, ricordati di quando dicevi: con un po' di buona volontà mi rimetto in una settimana, ti alzavi dal letto barcollando ma già convinto di stare meglio. L'importante è non cedere: alla tosse, alla paura, non cedere a nulla, salvare il tempo, salvare proprio ogni singolo secondo, ogni minuto, ogni ora. Allora, senza pensarci troppo, prende il taccuino e scrive, così: *L'ultima visione di Torino*. Scrive *ultima*, lo scrive senza farci caso. I movimenti della carrozza fanno traballare la penna, fuori nevica ancora. Il mantello del vetturino è come un grande sipario scuro. *Saluto nordico al mio cuore di nordico*. Sono appunti, senza una direzione precisa, parole che facciano un po' di ordine nella confusione dei sentimenti. Va bene, sì, lo sa di essere più vicino a un francese intelligente che a un italiano zotico, lo sa, lo pensa proprio in questi termini, ma sente un attaccamento a questa terra come non l'aveva mai sentito, mai come adesso che se ne separa.

Non si può essere spaesati. Sillaba la frase, se la ripete come una litania che in verità lo allarma. Non si può essere spaesati. Cerca di vedersi – lui, la sua sagoma, contro lo sfondo del futuro: sì, potrà esserlo ancora, l'intellettuale, l'editore con le tasche della giacca sformate dai libri, ma non sarà la stessa cosa. Non lo stesso sapore. Le idee dunque hanno bisogno di un paesaggio? Via Roma è una scia di cristallo, il sottile strato di neve attenua i rumori, rallenta i movimenti, tiene la città in sospeso. Gli viene naturale, adesso che va via, spiegare, chiarire che – ma a chi è rivolto? per chi sta scrivendo? Chiarire, per esempio, che se a tratti pareva freddo, se pareva cinico, era anche uno schermo, una difesa. Era che bisognava resistere alle derive sentimentali, sì, essere d'un pezzo agli occhi altrui, confermarsi in un ideale virile senza cedimenti. Ma questo – questa corazza – non ha mai spento il tumulto, il calore degli affetti, meno che mai lo spegne ora: per qualche istante diventano le sole cose importanti, le sole che contano, quel tumulto e quel calore, mentre succhia un'arancia fatta scaldare nella tasca del cappotto.

È stata una gran fatica diventare ciò che è, e tanto in fretta, è stata la fatica del bruco: una vita nuova dopo, senza poter dimenticare la vita prima. Se talvolta l'ha maledetta, se ha disprezzato quelle origini, adesso un po' se ne pente: un'onda di compassione cancella a ritroso l'avvilimento che, bambino, provava osservando la madre e il padre fare i conti, la sera dopo cena, nella luce sporca del tinello. Stavano lì, sommavano, dividevano, con mani che sembravano zampe di insetti: esausti dopo una giornata di lavoro in drogheria, una stanchezza totale, cieca, che non lasciava intravedere un senso, un riscatto, un premio. Proprio da lì, dal fondo di quella stanchezza come da un pozzo asciutto, bisognava comunque cavare qualcosa, il poco che serviva a stare in piedi, a fare progetti non per il futuro, ma di sopravvivenza per l'indomani.

Che pena quando incrociava gli occhi di suo padre: Tu studia, si sentiva dire, qualunque ora fosse, studia, gli occhi snervati ma imperiosi, i baffetti scuri. E lui studiava, con un'ansia più forte della passione, con quello stesso desiderio gretto di arricchire – loro di soldi, lui di parole. L'unico libro in casa era una stupida, ottusa enciclopedia per famiglie. Ne aveva riempito le pagine di commenti acidi: *La vera guida per imparare tutto sbagliato*. A tredici anni, aprire Alfieri era stato come spalancare il cranio a un'invasione di gabbiani, aggressivi, sbruffoni: nei loro gridi acuti leggeva ideali che un giorno avrebbe forse potuto conquistare, nella geometria del volo l'area immisurabile della libertà. Le parole zampillavano nella stanza: c'erano nomi di luogo, c'erano marchesi, c'era l'esacerbato mio animo, i caldi studi, l'Aprile 1789, Donne da amare con la *d* maiuscola, e c'erano cavalli al galoppo.

Non è forse libertà, ciò a cui va incontro? Scende dalla carrozza, dice Grazie, addio al vetturino. I passi sulla neve sono malcerti, il freddo spacca il dorso delle mani. Se è la libertà che ha davanti, se Parigi è la libertà, perché tanta angoscia? Alza lo sguardo da terra, lo punta dritto davanti a sé, entrando in stazione. Non bisogna essere isterici, non bisogna pensare che tutto sia un esame. Si siede, attende l'annuncio del treno in partenza. Gli appunti presi in fretta sul taccuino lo imbarazzano un po'. Li rilegge, numera le pagine: 47, 48, 49. Non gli è mai capitato di scriverne, ma forse vengono così, le poesie: senza dare il tempo di provarne vergogna.

Tenta di isolarsi nel rumore della folla, di trarsi fuori da quel movimento di corpi affannoso e preoccupato. La gente si urta per la fretta, le valigie sbattono. Una coincidenza persa, a volte, ci precipita nello sconforto. Ma dove sono diretti tutti? Dove siamo diretti? E lui, dove sta andando, che cosa lo aspetta? Non è questo il punto, non ora. Il segno, si dice – e lo scrive.

Il segno: essere sé stessi dappertutto.

10

Con la sua giacca nuova sotto il pastrano, Moraldo attraversa spedito piazza Vittorio. Stamattina lo fa con appena un po' di slancio e di leggera ansia, per ciò che la giornata potrebbe riservargli. Telefonato ieri alla "Stampa" per dettare l'annuncio, dopo qualche ora, sul giornale, ne ha letto uno che riguardava la stessa valigia – *contenente macchina fotografica Ermanox. Si assicura ricompensa.*

Ha chiamato, e all'altro capo del filo ha risposto una voce femminile: Albergo Roma, buongiorno.

Moraldo, disorientato, ha spiegato che chiamava per un annuncio uscito sulla "Stampa", si tratta di una valigia smarrita, ha detto. Gli è stato chiesto di attendere. Una voce femminile, diversa dalla precedente, ha detto seccamente Sì, buongiorno, come fosse già annoiata. Moraldo si è affrettato a declinare il cognome, È probabile che la valigia in questione, la valigia dell'annuncio insomma, l'abbia io, ben volentieri la restituirei al proprietario.

Il proprietario sono io, ha risposto la voce, e in un colpo tutte le congetture di Moraldo si sono sbriciolate. Aveva immaginato un fotografo. La sola ipotesi che invece l'intera valigia fosse proprietà femminile, con tanto di macchina fotografica e di fotografie, non l'aveva sfiorato.

L'appuntamento è fissato davanti all'albergo, piazza Carlo Felice, ci riconosceremo dalla valigia. Moraldo costeggia il fiume, che è increspato e ha un colore di cenere. Davanti all'ingresso del Valentino, con un'occhiata all'orologio si accorge di essere in leggero ritardo. Arrivato sulla piazza con un po' di affanno, resta qualche passo indietro rispetto all'ingresso, il tempo di ricomporsi, di aggiustare la falda del borsalino, di darsi il giusto contegno da uomo fatto. Davanti all'Albergo Roma non c'è nessuno.

Moraldo aspetta, passeggia per via di un nervosismo che cresce senza ragioni chiare. In fondo, si tratta di consegnare una valigia e di recuperare la propria, una questione che si sbriga in pochi minuti. L'idea che la sconosciuta abbia messo gli occhi sul suo disordine lo agita. Che strano, pensa: di me ha visto solo vestiti e biancheria, puro contenitore, e mi sento esattamente come se avesse visto il contrario, come se avesse visto il mio corpo nudo, senza vestiti né biancheria, puro contenuto. Ma che sciocchezze, cerca di scuotersi, io non la conosco, lei non mi conosce. Totali estranei che saranno di nuovo inghiottiti dalla folla anonima. Poi però gli torna in mente il quadernetto fitto di caricature, che tiene nascoste come le tracce di un vizio: allora avvampa, deglutisce, si gratta la testa alzando appena il cappello.

Signore, scusi, si sente chiamare, e finalmente ecco la sconosciuta. Dalla cuffia di lana sbucano due trecce, il cappotto è verde scuro, la valigia troppo pesante per le sue braccia magre.

Lei dev'essere – e sorride.

Sì, risponde Moraldo, piacere.

Grazie al cielo, signore, grazie al cielo, qui dentro c'era un lavoro per me molto importante.

Lei si occupa di fotografia, commenta lui, e aggiunge subito le scuse. Mi perdoni se l'ho forzata, mi pareva così strano, quasi impossibile, che non fosse la mia.

La capisco, d'altra parte l'ho aperta anch'io, anche se ho

avuto subito l'impressione che fosse troppo pesante per essere la mia. Chiedo scusa, ma ero disperata, avevo la borsa degli abiti con me, avrei preferito perdere quella.

Alla parola abiti, Moraldo ha l'immagine istantanea di bluse e di gonne piegate con cura, e soprattutto, di biancheria. Il poco che sa, l'ha sbirciato nei cassetti di sua madre anni addietro. Camicioni senza maniche. Calze in maglia di lana. Sottogonne. Reggipetti. Immagina un odore di lavanda, gli sembra quasi di sentirlo, e i piccoli fiocchi di una camicia da notte inamidata.

Bene, ora è tutto risolto, signorina, dice, e lascia spalancata la parola signorina su un nome che ancora non sa.

Carlotta. E lei, posso chiederle qual è il suo nome?

Moraldo.

Bene, signor Moraldo, il suo nome non è poi così comune. Lei è stato molto gentile, in questa busta c'è la piccola somma prevista dall'annuncio.

Moraldo la rifiuta, la signorina insiste, gliela avvicina al petto, lui alza le mani e sfiora le sue, ma i guanti di entrambi proteggono l'urto involontario. Ascolti, le dice, accetterei più volentieri il dono di una delle sue fotografie.

Oh, non posso, non posso proprio, mi dispiace.

Una frase detta così – così bruscamente – fa calare di colpo fra i due un muro di distanza. Moraldo non chiede altro, dice d'accordo, capisco, ma sia gentile, si tenga i suoi soldi, sarà per un'altra volta, ora devo proprio andare.

Sarò a Torino ancora qualche giorno, se ci ripensa può lasciare detto qui. Arrivederci, signor Moraldo.

Arrivederci, signorina Carlotta.

Ripresa la propria valigia, Moraldo si allontana. La schiarita nel suo costante malumore è durata poco: quella frase l'ha indispettito, gli scotta come uno schiaffo. Irrispettosa, ecco qual è la parola. Se ne vada per la sua strada, signorina Carlotta, bisbiglia fra i denti, e tante grazie. In un attimo di lucidità si accorge di quanto la sua stizza sia ridicola: prendersela per cosa? per quattro parole di una ragazzetta sulle sue?

Tuttavia, più cerca di tenere lontano il pensiero di quest'incontro veloce, più la signorina Carlotta gli si ripresenta nella mente, ostinandosi a scrutarlo con quello sguardo fisso che aveva poco fa, davanti all'albergo. Occhi dalle orbite grandi, scuri, penetranti: ti si appuntano subito, indagano senza indulgenza, cercano i tuoi non appena li distogli. Il viso, il corpo possono muoversi, ma gli occhi no, gli occhi non si distraggono.

Lo sorprende che questa Carlotta non abbia detto mezza frase sui libri della valigia di lui, niente di niente. E quei brutti versi? E le caricature? Le avrà viste? Se prima era preoccupato che scoprisse l'esistenza del quadernetto nero, adesso quasi gli dispiace che l'abbia trascurato. In fondo, riflette, le so fare bene.

Davanti alla drogheria di via XX Settembre, all'angolo con via Bertola, sì, Moraldo è passato molte volte. Ma ci è passato come si passa davanti a negozi in cui non si ha niente da acquistare: distrattamente. Da quando ha messo a fuoco che i titolari non sono parenti qualsiasi, ma la madre e il padre dell'editore giovane che gli si nega, è preso da una morbosa curiosità di vederli. La prima cosa che lo colpisce – gli arriva quasi un'onda di tenerezza – è l'umiltà di origini che, ecco, somigliano alle sue. Dunque non viene da sicurezze nobili, questo Piero, viene dal niente come lui. Osserva la vetrina: se entrasse, non saprebbe che cosa chiedere. Eppure la curiosità c'è – infantile, pungente. È come poter toccare qualcosa di lui, del suo privato, del suo prima. Perché, poi? La voglia di sapere da dove viene uno così, com'è il viso di sua madre, una madre con un figlio del genere, venuto su come un fiore raro; sapere dove si affacciava tornando da scuola.

Dopo quella prima volta, a lezione di letteratura italiana – tre, o quanti? quasi quattro anni fa –, l'antipatia provata all'istante gli aveva impedito di avvicinarlo. Era come avere stretto un patto di debita distanza; e se gli fosse capitato di occuparsene – anche solo dando una scorsa veloce alla sua rivista –, sarebbe stato per confermare l'avversione. Già quel primo numero – il direttore ne aveva sparso qualche copia in fondo all'aula – gli era sembrato plumbeo, pretenzioso. Algido. Sotto la scritta "Manifesto", si leggeva che il giornale *pone come base storica di giudizio una visione integrale e vigorosa del nostro Risorgimento*. Ne aveva già abbastanza per archiviare il tutto con uno sbadiglio.

Sono uno sciocco io, sono io che non capisco, oppure è lui che esagera? A tenere conto di quanti ne sparlavano come di un marmocchione strafottente, con le idee confuse, arrivista, ambizioso, Moraldo riusciva a mettere da parte il problema per un po'. D'altronde c'è la vita, no?, pronta a distrarci. Moraldo era andato ad ascoltare una sua conferenza alla Società di Cultura, il tema era il bolscevismo. Più che stare dietro alle parole, pronunciate con fastidiosa sicumera, cercava di cogliere qualche segreto dai gesti. Il modo di muovere le mani, facendo piccoli arabeschi nell'aria; e quel sorrisetto perenne sulle labbra: di sfida? ma a chi? Qualcuno, a fine discorso, aveva applaudito. Un anziano, invece, aveva chiesto la parola: Voi giovani, aveva detto con rabbia, voi giovani, sempre pronti a dare lezioni senza avere studiato! Vada a casa a ripassare, riapra i libri! Moraldo non ricorda più quale fosse il punto – come si potessero coniugare bolscevismo e liberalismo, forse –, ma ricorda benissimo con quanta foga l'accusato avesse risposto al suo accusatore. Il giovane occhialuto era in difficoltà, il suo consueto pallore era corretto da due macchie rosse sugli zigomi, e tuttavia insisteva, insisteva, agitandosi, disegnando nell'aria arabeschi sempre più ampi e nervosi.

All'uscita, l'aveva seguito. L'intento era farlo voltare, al momento opportuno, di chiamarlo, ma Moraldo non si era deciso. E così gli aveva camminato dietro come una spia, quasi strisciando i piedi sul marmo, sotto i portici di via Roma. Sa come mettersi nei guai, aveva pensato Moraldo.

Non sbagliava. Dopo il sequestro del deputato Matteotti, il nome dell'editore giovane rimbalzava sui quotidiani di continuo. La sua polemica contro il governo Mussolini era diventata frontale: in un trafiletto aveva raccontato come agenti della Prefettura senza mandato gli avessero perquisito lo studio, portato via lettere e appunti, sequestrato l'intera tiratura di un numero della rivista. Potrebbe anche piantarla, aveva pensato istintivamente Moraldo. Che bisogno c'è di esagerare. A che serve. È necessario esporsi a quel modo, alzare tanto la voce? Al passo fra l'essere grilli parlanti e l'essere eroi chi ci costringe? Gli avrebbe rimproverato di cedere al narcisismo, di esibire i muscoli che non ha. Via, gli avrebbe detto, non credi che fare tanto chiasso sia controproducente?

Poi, finalmente, gli era capitato fra le mani un giornale diverso, lo stesso direttore, un titolo nuovo, niente politica, larghe pagine fitte di cose letterarie, gli era sembrata un'idea bella, un'idea giusta, non importava che fosse un ripiego, se a convincerlo era stato qualcuno, i prefetti di turno, gli amici saggi, o se si era deciso da solo, c'erano articoli proprio belli, ce n'era uno bellissimo su uno scrittore francese e il suo romanzo simile a una vasta sinfonia. Oh, adesso sì che cominciava a ragionare, a fare le cose perbene. L'altro giornale, quello politico, usciva a singhiozzo, ma Moraldo non ci faceva troppo caso, ormai deciso a proporsi come collaboratore per il quindicinale di letteratura.

Prima di scrivergli aveva lasciato passare le settimane, i mesi. Aveva immaginato a lungo la lettera, e si era fermato sempre sul punto in cui avrebbe dovuto presentargli il proprio lavoro. Ho quasi ventitré anni, gli avrebbe scritto, troppi per non essersi fatto un qualsiasi nome; troppo pochi per presumersi giunti all'apice della conoscenza. Avrebbe dovuto allegare un saggio, un racconto? Aveva solo abbozzi, brogliacci – e le sue stupide caricature. E se avesse proposto quelle? Che idea ridicola. Avrebbero più senso tra le colonne del giornale politico, ma per carità; e tuttavia poteva dirgli Ho anche i volti di Croce, di D'Annunzio, ho Papini, ho

Marinetti, li so fare tutti, mescolati agli articoli svecchierebbero un poco il giornale. Ma no, no, che sciocchezze. Aveva optato per una proposta di collaborazione generica, forse anche troppo. Infatti, era seguito il silenzio – anche al secondo, più recente tentativo.

E adesso eccolo che finalmente si decide a entrare nella drogheria, come in un fortino da espugnare: il locale è stretto, c'è poca luce, l'aria sa di caffè, di zucchero, di liquirizia, è una grotta calda carica di odori. La signora madre appare minuscola dietro al bancone, ha un naso tondo, la pelle squamosa – una piccola lucertola con uno scialletto sulle spalle. Pesa lo zucchero, incarta pacchi, con gesti rapidi e precisi da orologiaia. Parla, ma a voce bassa, come se stesse confidando segreti. Quando per un attimo Moraldo incrocia i suoi occhi, li scopre lucidi, allarmati. Questa donna sembra svuotata dentro. A quel punto è costretto a chiedere qualcosa, potrebbe fare un regalo ai Bovis, se ne stupirebbero di certo, ma cosa? Chiede una scatola di biscotti, è una scatola di latta rossa, decorata, bella da vedere. Grazie, buongiorno, non dice nient'altro. Avrebbe potuto chiederle notizie del figlio, lasciare un messaggio per lui, volendo, ma niente, gli sembrerebbe di urlare dentro una chiesa. Esce con la scatola sotto il braccio e con uno strano turbamento addosso.

Anziché prendere la direzione del fiume e tornare in piazza Vittorio, qualcosa lo spinge a proseguire lungo via XX Settembre. Qualcosa di imprecisato, nella nebbia di quell'inquietudine, lo porta a ritrovarsi davanti all'ingresso dell'Albergo Roma. Come se avesse volato, o sognato. A domandare al portiere una penna, un foglio, a scrivere velocemente su quella carta intestata, in fretta, *Qualcosa di dolce, con un saluto cordiale, sperando di incontrarla prima della sua partenza,* nome e cognome, recapito dei Bovis. Cancella *Qualcosa di dolce.* Scandisce, con un po' di affanno Dovrebbe alloggiare da voi una tale signorina Carlotta, può farmi la cortesia di consegnarle questo messaggio unitamente a questa scatola?

12

Torino-Parigi, in treno
Mercoledì 3 febbraio

È andata così. *Ai sensi e per gli effetti di cui all'articolo 2*
del Regio Decreto 15 luglio 1923, numero 3288, e del Regio
Decreto 10 luglio 1924, numero 1081 – tutto si era arenato lì,
in una secca di stupidi numeri. La rivista, nell'ultimo anno,
era stata sequestrata di continuo. Non passava mese senza
inghippi, piovevano diffide: per critiche e commenti falsi,
per scritti contro i poteri dello Stato, per diffamazioni ingiu-
riose – così recitavano le motivazioni. Non c'era da stare
tranquilli un minuto, ma fino all'ultimo Piero si era ostinato
a pensare che non sarebbe accaduto, che la rivista poteva andare avanti: un piccolo ma solido veliero che resiste alle bur-
rasche più violente. D'altra parte, non aveva forse superato
altre battaglie di febbraio?
Sempre lo stesso mese gelido, ma tre anni fa – appena di
ritorno dal viaggio di nozze con Ada –, era stato chiuso in
carcere insieme a suo padre. L'ordine di arresto era stato firmato da Mussolini in persona – PER INTELLIGENZA COI
COMUNISTI SOVVERSIVI STOP ATTENDO RISULTATO OPERA-
ZIONE TELEGRAFICAMENTE MASSIMA ENERGIA E DUREZZA
STOP. Cella numero 107: il primo giorno Ada gli aveva por-

tato un po' di carne, una tavoletta di cioccolato, una bottiglia di vino. Un poeta triestino quarantenne gli aveva mandato i suoi saluti, Mi ricordi un eroe romantico, gli aveva scritto, mi ricordi Ernani, quello di Verdi, che amo come la giovinezza. Lui aveva sorriso, ma il senso di colpa a volte lo abbatteva. Aveva trascinato suo padre con sé in galera, in quanto gerente responsabile della rivista, e il pittore Casorati, e il tipografo di Pinerolo, che già parecchie volte si era lamentato. Senza avvertire, in più di un'occasione, aveva tagliato qualche frase dagli articoli; il direttore aveva protestato, il tipografo gli aveva risposto per le rime Io corro il rischio di veder rovinato tutto quanto mio padre è riuscito a riunire dopo una vita di sacrifici e di lavoro, nessun tipografo di Torino in momenti come questi si arrischierebbe a pubblicare gli articoli incendiari che stai scrivendo tu ora. Una notte, una squadraccia armata di latte di benzina e di mazze per sfasciare i vetri si era presentata davanti alla tipografia. Già alla fine di marzo del '23 la tipografia di Pinerolo non esisteva più.

Ma come si può tornare indietro? Come si può accettare di tacere? Una volta che la sfida è aperta, occorre condurla fino in fondo, con intransigenza. Non si torna indietro dalle parole dette, non si recede dalle convinzioni. Non l'aveva forse chiarito per tempo? Non era stato mai tenero con Giolitti e con i giolittiani, era stato caustico, aveva usato quintali di ironia, di sarcasmo, ma adesso no, adesso solo parole serie, parole precise.

Aveva detto Retorica. Aveva detto Cortigianeria. Aveva detto Demagogismo. Aveva detto Trasformismo.

Aveva pesato ciascuna di queste parole. Aveva detto che erano le storiche malattie italiane e che nel fascismo erano riassunte tutte.

Aveva detto Tirannide.

Aveva detto Esilio in patria. Aveva detto Resteremo al nostro posto.

Gli pareva che andare via fosse una soluzione perfino troppo comoda, a buon prezzo. Dove poter essere, se non qui, l'italiano che combatte alla luce del sole, che non se la intende col vincitore, con le sette e con le camorre? L'italiano che non si arrende alle allucinazioni collettive.

È comunque una forma di resa, questo viaggio in treno che lo porta lontano? A un amico di Bari aveva spiegato che la situazione non avrebbe fatto che peggiorare. Un mese prima era uscito l'ultimo numero della rivista politica. *Ritenuto che i ripetuti sequestri a nulla hanno valso, e che il periodico in parola, sotto l'aspetto di critiche e di discussioni politiche, economiche, morali, religiose, che vorrebbero assurgere ad affermazioni e sviluppi di princìpi dottrinari, mira in realtà, con irriverenti richiami, alla menomazione delle Istituzioni Monarchiche, della Chiesa, dei Poteri dello Stato, danneggiando il prestigio nazionale, e nel complesso può dar motivo a reazioni pericolose per l'ordine pubblico...*

Un fascista quasi coetaneo che lui stima come scrittore, un fascista di quint'ordine, come lo chiama per scherzo, qualche settimana fa gli ha comunicato per lettera di essersi dato da fare con qualcuno del governo, ma che non è servito a molto. Anzi, non è servito a niente. Quante volte ti ho detto di usare cautela? Tu sei un benedetto ragazzo, e certe cose non le vuoi capire, ma se continui a scrivere di politica non ti lasceranno pubblicare più nulla. Se ti fregano la casa editrice, per te sarebbe un disastro. A quel toscano spavaldo dal cognome tedesco, l'editore giovane aveva pubblicato un libro, con una prefazione in cui spiegava *Questo è il libro di un nemico, ma ho giurato di non rinunciare mai a capire né ad essere curioso.* Il toscano spavaldo adesso lo metteva in guardia Ho troppa stima di te per consigliarti di cambiare opinione, resta pure antifascista, ma non occuparti più di politica, lascia perdere, dai retta a me, buttati a corpo morto nella letteratura, nella filosofia. E manda una copia del mio libro al prefetto, fagli notare che è un libro fascista, che io sono fascista! E porco cane sei giovane, datti da fare, la storia dà sempre ragione a chi sa prendersi la ragione, tu hai modo di avere ragione, se non insisti a rimanere dalla parte del torto.

Il bianco del paesaggio, fuori dal vetro, incanta un bambino grasso. Un uomo batte con un coltello un uovo sodo. Piero ordina la cartella di lavoro. Ogni tanto, schivando lo sguardo degli altri passeggeri, sposta gli occhi verso il cielo grigio e basso, verso i binari morti coperti di neve gelata. Quando scorgerà la Senna tra i campi francesi, penserà a un'alba di solo qualche mese fa – era luglio, c'era Ada, c'era Paolo nella pancia di lei. Un olandese dagli occhi chiari aveva balbettato, provando a parlare in italiano Lei e la tua signorina vi siete sposato giovane. Avevano riso.

Adesso sarà come arrivare in un'altra città, o arrivarci senza mappa. Prendendo il taxi verso l'albergo di rue des Écoles passerà nello stesso punto di boulevard Henri IV, lì dove si erano baciati a lungo, e sarà insieme molto dolce e molto triste. Era stato bello, allora, anche fare colazione dopo avere atteso che aprissero le banche per poter cambiare i soldi. Era stato bello prendere il métro, mangiare in un piccolo ristorante su place du Châtelet, fermarsi davanti alle vetrine, tenere il naso per aria, catturati dal colore squillante dei cartelloni pubblicitari. Era stato bello camminare fino ad avere le caviglie gonfie, mettersi a correre sotto un acquazzone improvviso e rientrare in albergo fradici. Per qualche ora, per qualche giorno, le era sembrato finalmente senza pensieri, il suo giovane marito: ti adoro, lei aveva annotato sul diario; lui sbirciandolo aveva aggiunto, di traverso: davvero? Sì, ti adoro, ma non leggere quello che scrivo! Lo adorava – seduto accanto a lei su un divanetto basso, dopo essersi tolto i vestiti zuppi e avere infilato di corsa una camicia e un paio di calzoni asciutti, con quel suo esagerato pudore. Lo scroscio della pioggia chiuso fuori, la lampada accesa e loro due vicinissimi in quel cerchio di luce. Lui la bacia piano sotto l'orecchio. Lei canta sottovoce *Le long des blés que la brise fait onduler puis défrise*. Lui declama una ballata di Paul Fort che a un certo punto dice Aria calda, sa di tuberosa e di polvere. E poi, parlare di un bambino che tra qualche mese arriva, a cui bisognerà insegnare a vivere. Sentirsi eroi della soffitta, bohémien che vivono di poco, di poco oltre l'infinita libertà che hanno scelto.

Sentirsi giovani.

13

Tra la fine di un anno e i primi mesi di un altro, Moraldo si trova sempre impegnato in una strana conta. L'elenco delle cose fatte, quelle che si dicono importanti. Il risultato è sempre in passivo. Al netto delle ore spese per dormire, cosa può salvare? Di cosa è fatta la sua esistenza? Più cerca di mettere in fila i libri letti, le cose capite, più la sua mente si affolla d'altro. Vede sé stesso sbucciare arance, passeggiare senza meta nella nebbia. Fare dei cerchi con la matita intorno a parole di cui non coglie più il senso. Che la vita sia poi soprattutto questo? La boccata di fumo. Il piacere del cibo, spesso superiore a qualunque altro piacere, qualcosa che sazia anche lo spirito – la bruciatura croccante dei bordi di un uovo fritto. Il freddo delle mattine d'inverno che dà una strana energia, la nuvola calda che esce dalla bocca, una manata di neve fresca da fare scrocchiare sotto i denti. Affrettare il passo verso un gabinetto pubblico e godere svuotando la vescica, sentendosi per qualche minuto in un luogo al riparo da tutto, da tutti. I polpastrelli che restano neri dopo avere letto un giornale, senza che si sia mossa un'idea. Una canzone napoletana che passa per radio *Me sonno tutt'e notte 'a casa mia*. Dunque la vita è soprattutto questo? Ciò che non lascia traccia.

Adesso non può dirlo con certezza, ma ha la sensazione

che fra gli eventi senza traccia andrà archiviato anche questo nuovo incontro con la signorina della valigia. Lo sente. La scarica elettrica da cui è attraversato nell'attesa di lei è il segnale, il distintivo di qualcosa che non può durare. Ciò che è intenso non dura, riflette, e in quell'istante la vede.

È più bella di come gli era rimasta impressa. Ma forse l'aggettivo giusto non è *bella*, l'aggettivo giusto è un aggettivo che non esiste, un aggettivo che dovrebbe coniare ora, su due piedi, mentre lei gli si fa incontro davanti al solito albergo. I capelli spuntano da un berretto, di nuovo raccolti in due trecce. L'abito è verde scuro: coperto in parte dalla mantellina, lascia indovinare il petto. E gli occhi, gli occhi lo inquietano e lo attraggono: sono questi occhi scuri, fissi, che non lo lasciano un attimo e che non sorridono. Lei può abbassare il viso per timidezza, per distrazione, le due trecce cadono giù come le orecchie di un cane; quando lo rialza, gli occhi ti sfidano di nuovo, di sbieco.

Lei dice È stato gentile da parte sua. Lui vorrebbe dirle La boccetta del profumo l'avevo aperta, annusata, pensavo fosse il regalo di un fotografo per la sua amante, ma il fotografo era lei. E invece le dice Si immagini. Lei dice Non vorrei esserle sembrata scortese l'altro giorno, le fotografie sono i provini per un'esposizione. Lui vorrebbe dirle C'è qualcosa di strano in lei, di attraente e di strano, ma le dice L'avevo immaginato, non stia a pensarci, le va di prendere un tè, il mondo della fotografia mi affascina. Lei dice Volentieri, ma lo dice come se dicesse sì e no insieme, senza nessuna allegria.

All'interno del caffè gli specchi brillano, i giocatori di scacchi considerano in silenzio la prossima mossa. Entrare con una donna al seguito lo fa sentire speciale, lo fa sentire un artista. Le farà domande stupide, domande semplici, sulla fotografia. Le dirà che conosce – non è vero – pittori che tuttora detestano le macchine fotografiche, convinti che solo chi non ha talento possa sprecarsi a fare il fotografo. Lei risponderà senza sorridere: Non sa per quanti pittori lavoro, prima si servono delle fotografie, poi dicono che è un'arte volgare.

Le dita della fotografa sono lunghe, bianche. Il volto è triangolare, ossuto. Moraldo non smette di osservarla, lo fa con insistenza senza rendersene conto. Ma sì, lei dice, c'è ancora chi ha paura di essere fotografato, lei non mi crederà ma è così. Diciamo, risponde Moraldo, diciamo che non mi sono esposto molto all'obiettivo, non ne ho timore, e se fosse lei a fotografarmi ne sarei perfino lieto. È la prima, stupida frase galante che pronuncia, ma lei non la raccoglie, lei tiene il filo del proprio discorso, dice La gente si guarda nelle fotografie e ha sempre, sempre quell'attimo di incertezza, di imbarazzo: e questo sarei io?, sembra si chieda. Gli uomini, soprattutto gli uomini, danno la colpa ai fotografi: le pare che questo sia il mio ritratto? Le parlano come parlerebbero a un pittore dilettante. Lei non sa quanto sono vanitosi gli uomini, e quanto si lamentano – di dovere stare immobili, di fissare un punto con gli occhi, niente, non stanno buoni un secondo. Quando hanno davanti i provini li esaminano con fastidio, come se non fossero loro quelli ritratti, finché non trovano ciò che più somiglia all'immagine che hanno di sé. Moraldo sorride, dice Lei mi fa sorridere, vorrebbe dire Dev'essere bello mettersi in posa per lei, lasciare che le sue mani lunghe stabiliscano la posizione giusta del mio viso, sentire il tocco veloce dei polpastrelli sul mio capo, sentirla dire Ora guardi alle mie spalle, e invece guardare lei.

Detesto il pittoricismo, dice lei. Anch'io, dice lui. Amo fissare il movimento della città, amo sorprendere le cose modeste, le persone, non inventare niente, ho fotografato bambini, cortei militari, ho fotografato pompieri, spazzacamini, ciclisti, mendicanti e vecchi ciechi al braccio di fanciulle. Più lei parla, più si addentra nei segreti della sua arte chimica, meno Moraldo riesce a seguirla, si distrae. Lei parla di camera oscura, dice flou, dice bromolio. Lui vorrebbe dirle Sono incantato, dalle sue labbra, dal modo in cui il labbro superiore per un attimo fa sparire quello inferiore. Lei seguita il suo discorso da alchimista, parla di collodio umido, spiega che per mantenerlo più a lungo si aggiungevano sulla lastra gomma arabica, glicerina, birra, miele. Sembrano gli ingredienti di una pozione magica, dice lui, e invece le direbbe Cosa darei per vedere i suoi seni.

La storia, la consuetudine vogliono che sia l'uomo a tenere banco, a calcare la mano se serve, purché il proprio fascino lieviti. D'altra parte, gli era accaduto più di una volta di tenere gli occhi di una ragazza incollati ai propri, semplicemente raccontandole qualcosa. Eccessi d'enfasi e di invenzione forzavano le parole, fino a scollarle dalla realtà, ma non era grave. Il fine giustifica i mezzi. Stavolta la scena è inusitata, e lo spettatore è lui. Non ha pronunciato che bocconi di frase, non ha fatto che balbettare parole ordinarie, vuote. E lei? Lei è stata la protagonista assoluta, sorseggiava il tè e riprendeva il filo, senza curarsi troppo dell'interlocutore, le bastava che fosse lì – un corpo maschile seduto davanti a lei; lo arpionava con lo sguardo, senza aspettarsi nulla da lui che non fosse pura presenza.

Carlotta non fa domande, non chiede niente a Moraldo. Lui si aspetta di essere interrogato da un momento all'altro su passioni, progetti, studi. Niente. Attrae e respinge a un tempo, questa fotografa, pensa, questa donna impermeabile, indifferente. Ogni tanto gli pare di intravedere, nei tratti di oggi, di ora, qualcosa come il lampo del suo viso di bambina. Stanno per salutarsi quando lei, con tono neutro, senza slancio, gli dice Le andrebbe di vedere com'è fatto uno studio fotografico?

4

Stia tranquillo, entri pure, a quest'ora non c'è nessuno.
Questo è lo studio a cui mi appoggio quando passo da Torino. Lavoro anche a Milano, e a Parigi. Che ne dice? Non le
pare buffo che si usino ancora fondali tanto sciocchi? Eppure c'è chi ha il coraggio di farsi ritrarre qui davanti, dico sul
serio. Moraldo inciampa su una colonna con capitello corin-
zio, per poco non la fa franare a terra. Le piacciono i bambini?, domanda Carlotta, e mostra una serie di ritratti stucche-
voli: fagotti di ciccia acconciati con fiocchi, cappelli, nastri di
tulle. Guardi qua: e c'è una bimba neonata, lo sguardo perplesso, infilata nella cesta di una mongolfiera. È solo un trucco, uno stupido trucco, dice lei senza che Moraldo le chieda
niente. A me non piacciono i trucchi, riprende, forse gliel'ho
già detto, preferisco la verità, sono una vagabonda, giro per le
strade e i bambini li trovo là, nei parchi, nei giardini, sono con-
traria alle pose. I giornali chiedono verità, qualche pezzo di
verità, può essere la città sotto la neve, una corsa ciclistica, una
sfilata di moda. Io li accontento. Nella valigia – ha visto? –
c'era "L'Illustrazione Italiana", ha indovinato qual era la fotografia scattata da me? A dire il vero, risponde Moraldo, non
l'ho sfogliata, non mi sono permesso, ma lei non lo ascolta.

Le va di provare?

Provare cosa?

A scattare una fotografia.

Moraldo balbetta, si schermisce, ma la proposta lo diverte. Posso provare, dice infine, se mi aiuta lei.

Avrà una buona modella.

Carlotta si accosta a lui, lo spinge con delicatezza verso la macchina piantata sul cavalletto, gli spiega come procedere e va a sedersi, si sistema le trecce sul davanti, dice Sono pronta. Le pupille sono immobili, non un accenno di sorriso. Moraldo scatta, gli pare di avere compiuto un gesto piccolo dalla conseguenza enorme: lasciare impressa una traccia di lei, un'immagine di lei com'è in questo preciso istante, in questo istante appena passato e irrecuperabile.

Bene, mi farà sapere poi del risultato, si affretta a dire per rompere il silenzio che è calato nello studio. Lei dice Sì, e poi gli domanda, all'improvviso, dal niente Lei è sposato signor Moraldo? Lo domanda senza staccare le parole. Moraldo risponde dopo una pausa che la *n* di no deve scalare come una montagna. N-no. Ha qualcuno, voglio dire, una fidanzata? L'avevo, risponde Moraldo, e stavolta le parole scivolano, l'ho avuta. Vi siete separati, dunque? Non saprei, signorina, è andata così. Lei mi fa sorridere, dice Carlotta, seria. Ma lei non sorride mai, non la vedo mai sorridere, signorina. Sorrido dentro, risponde lei, e si alza di scatto. Le sembro bella? Un'altra pausa.

Carlotta è in piedi, e comincia a sciogliersi le trecce, lo fa con gesti minuti, rapidi. Non mi risponde? Moraldo la guarda e resta ancora in silenzio, stordito dalla sequenza di domande che adesso saltano fra le pareti; disorientato da una scena che – nel fanatico, impenetrabile teatro di lei – non aveva previsto. È lo spettatore chiamato in causa dal palco, come in un'azione futurista. Trita, sì, e tuttavia imbarazzante. Le piacerei come fidanzata?, incalza lei. Mi mette in difficoltà, risponde Moraldo, si passa la mano sui baffi con un nervosismo che sale, e lei registra con quegli occhi scuri sempre più fissi, sempre più appuntiti. Ho capito, ho capito, non le piaccio, fa lei, e finisce in quel momento di sciogliersi la seconda treccia, con la mano percorre e scuote i capelli facendoli esplodere, sbuffare come una nuvola di fumo. Ma no, cosa dice, la rassicura Moraldo, cosa sta dicendo, con il tono accorato e partecipe di una consolazione. È allora che la prima risata di Carlotta squilla nella stanza, una risata a bocca chiusa, una scala di note discendenti, di flauto, che si spegne in un ghigno, mf, mf, mf. Vede che mi fa ridere? Sì, stavolta ha riso. Sorride anche lui, si limita a sorridere, ma un'insolita forma di paura sta prendendo possesso di lui, invade il corpo, minuto dopo minuto, come un liquido. Che ci faccio qui con una sconosciuta, e quasi si sente soffocare. Cosa mi ha detto la testa. È strana, forse è pazza, pensa sedendosi su una poltroncina. Lei sembra avergli letto il pensiero, dice La vedo un po' teso, se le ho messo agitazione mi scusi, era un gioco. Ma si immagini, fa Moraldo, e gli esce una voce da baritono.

Lei gli si avvicina come una gatta, lui afferra nello spostamento d'aria l'essenza della boccetta in valigia che aveva annusato. Qui il profumo produce una imprevista reazione chimica, che spinge sillabe fuori dalla laringe di Moraldo, letteralmente le espelle, senza che l'interessato se ne avveda. Mi piace il suo profumo. Dice una cosa simile, Mi piace il suo profumo. Dice anche, senza prendere respiro L'ho annusato, le confesso, credevo fosse l'omaggio all'innamorata di un fotografo distratto almeno quanto me. È già un piccolo romanzo, dice lei, bello. Lei scrive, vero?, aggiunge subito, ma non c'è curiosità, nell'interrogativo. Lei si aspetta solo di vedere confermato un pregiudizio negativo. Non le piacciono gli scrittori? No, risponde lei, no – e sono suoni alti e neutri come un gong. Sono uscita con un poeta, per qualche mese. Pianta la frase lì, Moraldo le chiede di proseguire, lei si fa pregare, poi: Aveva gli occhi chiari, una barbetta lunga, sembrava sposato con sé stesso. Una condanna senza appello, scherza Moraldo. Lei non raccoglie, dice Non so se vale la pena passare ore a immaginare quello che non c'è, non trova? Mah, sarebbe un discorso lungo, si è fatto un po' tardi, devo andare.

Si alza, prende il cappello, è sempre più nervoso. Nervoso anche perché sente di negare al destino di quelle ore qualche possibilità. Allora arrivederci, signorina Carlotta. Lui fa per tendere la mano, lei gli si accosta senza offrire la propria e lascia che le dita di Moraldo la sfiorino, all'altezza del busto.

Parigi. 31, rue des Écoles
Giovedì 4 febbraio

Gli viene da ridere. Così: in modo improvviso, infantile, forse per sfogare le tensione accumulata con il viaggio. Piero si vede nei panni di Charlot, nel *Monello*. Dentro questa stanzetta gelata e squallida, senza luce, un po' sporca, è anche lui un vagabondo stanco e malconcio costretto a correre ai ripari. Il film era andato a vederlo appena uscito, Natalino gli aveva detto Ne vale la pena, vacci, fa ridere e piangere come dice la didascalia all'inizio. Lui, con il solito terrore di perdere tempo, alla fine si era deciso. Gli era sembrata una storia bambinesca e caricaturale, ma si era divertito, si era intenerito, i movimenti a scatti di quell'ometto con i piedi larghi e il bastone che si prendeva a cuore un orfanello, creavano un'immediata simpatia. Vorrebbe avvolgersi anche lui in una coperta – e dormire. Resta con il cappotto addosso, ma il freddo non se ne va, è un freddo nemico. Gli basterebbe un po' di tepore per sentire che è ancora tutto possibile, che in un paio di giorni, tre, al massimo quattro, troverà una buona sistemazione, prenderà contatto con gli amici che sono in città, e finalmente potrà riappropriarsi delle sue giornate.

Comincia una lettera per Ada, scrive la data, in francese, *le 4 février*, e scrive *Ma chérie, heureusement arrivé*. La grafia si accartoccia come il suo francese, che gli pare farsi più incerto proprio nel luogo in cui sarebbe vitale. Scrive *heureusement*: felicemente, felicemente arrivato. Dovrebbe essere più sincero: se è qui, da solo, non si tratta forse di un'immane sfortuna a cui non ha potuto fare fronte? *Solo quando ogni condizione obiettiva di attività ci venga tolta accetteremo l'ipotesi di ripetere la sorte degli esuli del Risorgimento*. Aveva scritto così, no? Le ore di viaggio hanno lasciato crescere la sua barba chiara, troppo per i suoi gusti, gli lascia un'ombra sporca sulle guance. Ma l'esilio, mentre incrocia le braccia e guarda fuori, l'esilio è anche questo. La barba, il freddo, una stanza piccola e sporca. Un quadro di Casorati alla parete lo farebbe sentire già a casa.

Sei un po' Mazzini, un po' Charlot, sei disorientato e stanco, però adesso muoviti, non c'è un minuto da perdere. Deve scuotersi, reagire, pescare in quelle riserve di energia e di esaltazione che lo facevano esclamare – a brutto muso, davanti ad amici increduli – Sentite, io adesso faccio un salto e vado di là dal Po. Per un attimo ci ho creduto, gli rideva dietro Carlo, il massiccio Carlo. In realtà, aveva un'aria allarmata. Bisogna volere le cose Carlo, bisogna volerle fino in fondo. Non era questa volontà imperiosa, smisurata, a farli saltare come grilli? Come pazzi giù dal letto alle sei della mattina, Carlo, Natalino, Edoardo – era buio, si scendeva in piazza Castello, vediamo chi arriva primo a fare il giro di palazzo Madama, il sudore delle corse gelava subito addosso, sotto casa di Piero si mettevano a fischiare come cretini. Sulla porta c'era lui già incravattato, pronto, come un maestro di scuola Dove eravamo rimasti?

Critica della ragion pura: "In verità a prima vista si potrebbe pensare che 7 + 5 uguale 12 sia una proposizione semplicemente analitica… ma se si considera più da vicino…" E se non la considerassimo? E se la considerassimo da lontano? Smettetela. "Il concetto di dodici non è per nulla pensato per il fatto che io pensi semplicemente quella unione di 7 e 5." Oddio, oddio, mi sono perso. Sfuggono sbadigli. Non distraetevi. Ma Kant non sbadigliava mai, Piero? "Come sono possibili giudizi sintetici a priori?" Sono possibili, sono possibili: Piero ne spara di continuo. A me, dice Carlo, la seconda volta che ci siamo visti disse che non dovevo studiare Medicina, sono degli pseudo-concetti, devi studiare Lettere o Legge. Ah, che storie, gli pseudo-concetti… ti meriti due ceffoni, Piero! Edoardo si alza di scatto, strappa il libro all'amico e con le mani aperte sulle guance prende a schiaffeggiarlo. Gli occhialetti si storcono, scendono sul naso, Piero fa come un salto da seduto, chiude gli occhi e scivola indietro con la schiena.

Piero, Piero! Non risponde. Piero! È svenuto. Se la madre entra adesso con il caffè, cosa le raccontiamo? Gli amici restano in silenzio. Uno di loro prova a scuotere piano, con delicatezza, il corpo magro di Piero, che finalmente riapre gli occhi. Mi vedi? Sì che ti vedo, non sono mica cieco. Tutto ricomincia dal punto in cui si era fermato, la lettura di Kant, l'odore di caffè, la signora Angela che entra strusciando le pantofole, curva e timida come entrasse in una sacrestia Quanto, di zucchero? E va via, mentre la luce del primo mattino fodera di rosa la stanza di Piero e viene voglia di tornare a dormire, ma la giornata è cominciata e non si torna indietro.

Questi ventenni si stiracchiano, si sgranchiscono: non è facile contenere il formicolio dei muscoli e bisognerebbe, per placarlo, azzuffarsi come bambini – ogni tanto accade ancora –, oppure fare una di quelle corse sceme per la città, fino a sfiancarsi, fino a sentire il cuore che scoppia dentro la testa. Pigliare la bicicletta e pedalare, correre per ore, fino quasi a Ventimiglia, passare dalla Riviera, Alassio, San Remo e ritorno come talvolta, in primavera, Piero faceva con suo padre: lì la sua energia fisica stupiva tutti, e se ne stupiva lui stesso.

Dove è finita quella forza? Quando si è consumata? Un'invincibile stanchezza si impossessa di lui ora dopo ora, rende i passi incerti. Si stringe nel cappotto, ma non riesce a scaldarsi. Sarà che ho dormito appena due ore, sarà questo, lo scriverà ad Ada: e sarà come sentire la sua voce che risponde subito Sì, sei solo un po' stanco, non è niente.

Boulevard Saint-Germain è spazzato da un ventaccio gelido, gli scheletri d'albero sembrano vecchi che battono i denti. Va a cercare a casa l'amico bolognese trapiantato a Parigi. La sua saggezza di trentenne lo rassicura, si rivedranno domani ai Deux Magots, parleranno con calma dei piani per stabilirsi qui, l'alloggio, un ufficio, il necessario per far ripartire tutto. Vedrà di nuovo domani anche il testardo amico già vecchio da sempre, il disincantato. Sono su posizioni spesso distanti, battibeccano Mi piacevi di più quando non eri così pessimista. Tra sé e sé, o nelle lettere per Ada, lo chiama Ponzio Pilato: gli pare stia diventando sempre più filo-fascista. Ma in fondo gli vuole bene, si sente protetto: da lui, da sua moglie Dolores, che come una zia bonaria lo redarguisce, lo pungola. Bisognerà trovare, gli dice, una casa adatta alla tua sposina e al piccino.

Gli affitti sono cari, non sarà semplice. Anche a cena con il politico lucano se n'è parlato. Ha quasi sessant'anni, ma non perde l'ottimismo. Due anni fa i fascisti gli hanno devastato la casa a Roma, ha riparato qui portando con sé moglie e figli dopo un passaggio a Zurigo. Le proprietà in Italia non le hanno vendute, ma la signora dice Non torneremo più. Piero chiede consigli, loro sorridono, dicono di avere fiducia. Ma una volta trovata la soluzione giusta, il primo trasporto di cose indispensabili da Torino costerà almeno ottomila franchi. La ragion pratica! Le questioni concrete – ne avverte un disagio crescente – impediscono di occuparsi di qualunque altra cosa: vorrebbe scrivere, vorrebbe semplicemente pensare, ma gli è negato da un'ansia che di tanto in tanto sale alla gola e lo fa tossire.

La città, dall'estate scorsa, sembra un'altra: non è cambiato niente, è cambiato tutto. Ada non c'è, accanto a lui, e questo incide sulla geografia, la modifica. Lui si muove, procede, guarda, tiene il naso in su in cerca di annunci immobiliari, ma è come se non vedesse. È come attraversare un paesaggio uniforme, grigio, inospitale. Si fanno i chilometri senza rendersene conto, le gambe a fine giornata bruciano. Ciò che pochi mesi fa lo aveva affascinato, di questo museo della modernità, ora gli risulta appannato: gli resta nelle orecchie il rumore continuo del traffico, e nel naso l'odore di muffa di questa stanza poco riscaldata.

16

Parigi. 31, rue des Écoles
Venerdì 5 febbraio

Di notte, ha sognato Manfredini.

La giornata è stata faticosa, cupa. La prima lettera di Ada l'ha illuminata. Lui le ha risposto nel tardo pomeriggio, raccontandole la cena con il politico lucano e l'incontro con Ponzio Pilato. Le chiede se la rivista è uscita e di spedirne a Parigi una dozzina di copie. Ho avuto una proposta di andare a Nizza, le spiega, a un giornale franco-italiano in qualità di redattore, ma non ci penso neppure. Devo restare qui. In un paio di giorni è diventato già un esperto del mercato immobiliare: una casa in periferia con una camera, una sala da pranzo, cucina e bagno costa intorno ai quattromila franchi. Ha domandato agli amici, ad amici di amici, ha battuto diverse agenzie: solo per ottenere un indirizzo chiedono cento, duecento franchi. Bisognerà entrare nel giro ambiguo delle portinaie, trovare una soluzione anche provvisoria, due o tre stanze basteranno, per ora, poi si vedrà: il suo ideale sarebbe avere un alloggio e un locale per fare casa editrice e libreria. Adesso non ha tempo che per questo: cercare una casa. Non ha tempo che per essere questo: uno in cerca di casa.

La città si dissecca fino a diventare uno scheletro di indirizzi. Rue, place, boulevard, quai, pont. Nient'altro. Non è riuscito a vedere mezza persona che non fosse un francese sconosciuto con cui ragionare di fitti, di vani, di distanze. Ne deriva – con il senso di inadeguatezza, l'imbarazzo che lo stringono in una morsa – una stanchezza assoluta, implacabile come una febbre alta. Possibile che sia tutto così difficile? Essere all'altezza di Croce non significa essere all'altezza della quotidianità. Sarebbe comodo essere chiocciole con il guscio addosso, casa sempre sulla schiena. Siamo animali che soffrono all'addiaccio e non sanno scavarsi tane. Incrociando i vecchi che dormono nei portoni o le puttane sdentate di Montmartre, sente tutto il terrore di quella sorte. Come si sopravvive? Come ci si può attaccare tanto alla vita, restarle aggrappati, resistendo a un vento così freddo, così spietato, che quasi squarcia le tende dei caffè e fa vorticare le foglie dei platani con la furia di una pena dantesca?

Dal punto in cui adesso si trova – l'albergo di rue des Écoles, la piccola stanza che comincia a detestare – ignora quanto la città possa essere ancora viva, vitale, a quest'ora tarda di notte. C'è gente che si è appena infilata nei bistrot, infreddolita – attori di teatro, guardiani che tra poco inizieranno il loro turno. Girano come cani randagi poeti e pittori morti di fame, qualcuno di loro si prepara a spegnersi all'ultimo piano di alberghi decaduti. La voce sottile, cadenzata di Damia canta *C'est que la vie, pour toi, c'est du velours*. Montmartre, Pigalle – di notte una corrente sensuale li attraversa, le donne tengono stretti i seni con le mani a coppa; gli uomini bevono, poi estraggono sigarette dagli astucci d'argento. Tutti i giovani tristi sanno che ogni notte già li trasforma nei vecchi lupi infoiati e sudici che saranno – la patta dei pantaloni quasi si strappa per l'eccitazione. Gli assassini e i portieri di notte, con i loro panciotti verdi, vedranno ancora una volta l'alba.

Lui no, lui è all'oscuro di questo. Una città è soprattutto ciò che ne ignoriamo, gli infiniti punti dove non siamo. Si è finalmente addormentato: nonostante la stanchezza, prendere sonno è stato difficile. Ha pensato a una cartella di vecchi articoli, ritagli, note, lasciata su una sedia del suo studio. Ha pensato alle cose da fare. Si è sciacquato il viso, il collo, le ascelle nel minuscolo lavabo – con un'acqua meno che tiepida. Il freddo, sotto le coperte, non si placa: che sia qualche linea di febbre? Sull'autobus, uscendo da casa di Ponzio Pilato che erano già quasi le undici, aveva avuto l'impressione di stare un po' meglio: gli era piaciuta la cena – il vino, un piatto di patate lesse con aceto, olio, pepe nero; i discorsi con Ponzio l'avevano come rimesso in moto, si stava già accalorando, Mi piacevi più prima, quando ti ho conosciuto, gli ha detto, adesso ti lavi le mani di tutto; anche tua moglie, hai visto?, dice che non riconosce più l'uomo che ha sposato. Ponzio gli ha detto Non scaldarti, parliamo d'altro. E si è messo a raccontargli dei figli, vanno a una scuola francese. I tuoi, gli ha risposto Piero, sono già abbastanza formati: il mio, voglio che resti italiano.

Appena preso sonno, lo svegliano gli strepiti di una compagnia di ubriachi che rientra nelle stanze. Si riaddormenta a fatica. Quando si sveglia, gli pare che sia passato appena un quarto d'ora. Ha chiare e moleste negli occhi le scene del sogno appena sognato. Lui in cima alle scale – liceo ginnasio Balbo – e in fondo, il povero zoppicante compagno di scuola Manfredini. Lo guarda dall'alto con un ghigno sulle labbra, lo guarda avanzare di gradino in gradino affaticato e goffo, come un grosso insetto a cui manchi una zampa. Manfredini oscilla, si tiene al corrimano. Lo compatisce, dovrebbe scendergli incontro e dargli un braccio. Quando ne incrocia lo sguardo, subito lo distoglie, salta in fretta i gradini che lo separano dal povero sciancato e lo strattona con violenza, lasciando che scivoli per le scale. Nello scoppio di ilarità dei compagni si è sentito vittorioso, al di sopra del bene e del male. Si è sentito uomo che non teme i limiti, che non si fa condizionare dalla pietà. Adesso, nel sogno, gli occhi di Manfredini sono quelli di un cane pestato. Ha provato a rialzarsi facendo forza su un braccio, si è spolverato la giacca, i calzoni e a testa bassa si è allontanato dal fragore idiota che lo circonda. Non prima di avere rivolto lo sguardo verso le scale.

In questo risveglio già stanco, con la bocca acida, non riesce a cacciare via dalla mente l'immagine del povero Manfredini. In verità quel sogno – fatica a riconoscerlo – è un ricordo.

17

[handwritten annotation: Moraldo fails exam - furious - incredulous ... Carlotta]

Non è bastato a tirarlo su il ritorno in prima pagina dell'idroplano *Plus Ultra*, finalmente arrivato a Rio de Janeiro, tutto d'un volo, in dodici ore, a cento miglia all'ora. Nell'aula vasta e semibuia degli esami, a piano terra, è rimbombata per due volte – poco dopo le undici e mezzo del mattino – la frase "deve tornare". Moraldo ha pensato, sulle prime, di non avere capito bene: deve tornare cosa? Deve tornare. Ha sentito un morso all'altezza dello stomaco, ha sentito le guance e le orecchie avvampare, prendere fuoco. Ha fatto come per allargare le braccia, ma solo l'inizio del gesto: di stupore, di resa. Non aveva passato l'esame.

Era ciò che meritava? Se lo domanda, mentre esce a passi svelti dalla facoltà, attraversa l'atrio – le statue lo stringono da più lati con il loro disprezzo. Eppure non gli sembra di avere fatto una figura tanto magra. Il professore aveva subito chiesto Quali autori sceglie? L'aveva lasciato parlare di Alfieri, tenendo gli occhi bassi sulla scrivania, alzandoli ogni tre o quattro minuti con un'espressione di vetro. Dopo la parola "bene" con cui l'aveva interrotto, si era limitato a fare una sola domanda. L'aveva bisbigliata, ma era capziosa e tremenda. Bene, aveva detto aprendo casualmente il libro di cui stava accarezzando la copertina da venti minuti. E, sempre sussurrando, aveva scandito tre versi: *A perder io me stesso/*

81

presto sarei... Dove siamo, e chi parla?, aveva aggiunto, tenendo l'unghia lunga e ingiallita dalla nicotina conficcata a quell'altezza della pagina. Moraldo avrebbe potuto sfidare la sorte, provare a indovinare. Atto terzo o quarto? È Filippo che parla? è Carlo? è Gomez? Ma con chi? Non se l'era sentita, ed era rimasto in silenzio, lisciandosi i baffi, con tutta la concentrazione possibile, ma era stato come raspare in un contenitore vuoto. Deve tornare. E lì era finita.

Ha raggiunto piazza Vittorio a passo di marcia, nauseato e rabbioso, sotto una pioggia sottilissima pronta a farsi nevischio. A perder io me stesso presto sarei: si è ripetuto, come una litania blasfema, il verso dell'inciampo. A perder io me stesso presto sarei. I baracchini del carnevale, gli ambulanti, i venditori di palloncini – quei rumori un po' lo destano. Sfila accanto ai banchi dei torroni, delle caramelle, alle giostrine. Una tenda rossiccia copre l'accesso al visore stereoscopico da cui si può osservare qualche nudo femminile. Senza ragionarci troppo, prende, entra, paga il dovuto. Poggia l'occhio sulla lente e nel primo fotogramma c'è una donna di profilo, i capelli a caschetto, i seni piccoli e appuntiti. Tiene le braccia alzate a sostenere un cappello dalla falda enorme. Nella seguente, il viso e il busto sono oscurati, il punto di luce è sulle gambe, snelle, strette l'una all'altra, la sinistra piegata un po' in avanti. Ma l'istantanea che più lo eccita mostra una donna formosa semisdraiata su un divano, supina, che guarda in alto. I seni sono grossi, con una minuscola areola simile a un bottone. È preso da un desiderio cieco e rabbioso: pensa alla fotografa, si chiede fin dove avrebbe potuto spingersi, l'altro giorno, in quello studiolo. Ma se n'è ritratto. Ha avuto paura: di cosa? della sicurezza di lei? di quell'aria indifferente e insieme di sfida? dei suoi occhi scuri e fissi?

Come fosse sospinto a forza da qualcuno, riattraversa piazza Vittorio, percorre all'inverso via Po; da piazza Castello, scende su via Roma fino a incrociare via Alfieri, nome che oggi lo perseguita e che lui maledice. All'angolo con via dell'Arsenale, c'è la bottega di fotografo dove ha messo piede l'altro giorno. L'ora è più o meno la stessa, ora di pranzo. Che cosa sto facendo. Magari lei è lì, è dentro: ha voglia di baciarla, di stringerla, di non sentire mezza parola, di stringerla e basta, sbaragliando con la foga dei gesti la paura. Suona il campanello, resta in attesa, con un fastidioso formicolio addosso. Niente, per due o tre minuti. Moraldo suona di nuovo, più a lungo. Si sfrega le mani, il cuore gli batte forte. Eccola. Ne intravede la sagoma dalla porta a vetri. Adesso cosa le dico. Cosa accidenti le dico. Buongiorno, le dice intanto. Buongiorno, risponde lei, con un'aria assonnata e distante. Nelle proiezioni della sua mente, dovrebbe entrare con modi bruschi, chiudersi la porta alle spalle e travolgerla in un abbraccio eccitato.

Nella realtà, domanda L'ho disturbata?

No, s'immagini.

La risposta ha un tono glaciale, come non si fossero mai incontrati prima, come fosse il dialogo fra un passante che domanda un indirizzo e una bottegaia che risponde seccata.

Passavo di qui, stasera pensavo di andare al Carignano, c'è *La principessa giardiniera*, se le va potremmo andare insieme.

Come gli è saltato in mente? Dall'eroe passionale al più banale dei corteggiatori, nello spazio di cinque minuti d'orologio. Se ne infischia delle principesse giardiniere. Lei si porta una mano alla tempia, con due dita ravvia una ciocca di capelli dietro all'orecchio. Dio, quanto sei bella strana crudele.

Lei dice Mi dispiace, ho già un altro appuntamento proprio stasera.

Moraldo avverte un tonfo al centro della testa, deve schiarirsi la voce per prendere tempo, poi dice Non importa, si può fare una sera di queste, lei resta ancora a Torino per un po'? Sì, ancora qualche giorno, dice Carlotta, sto lavorando a due servizi fotografici sul carnevale in città. Bene, allora arrivederci. L'arrivederci di lei è svogliato, ordinario, senza slancio. Sente chiudere la porta, con uno schiocco di legno e vetro.

Quattro o cinque passi distante, una voce di donna, alle sue spalle, lo chiama: Signor Moraldo!

18

L'imprevedibile, l'impensabile: possono accadere, accadono. Ti sei voltato, e accadono. Senza annunciarsi, come i temporali in pieno agosto, quando gli alberi e le strade impazziscono di vento e d'acqua, poi nel giro di mezz'ora tutto torna quieto, sereno. Moraldo ha fatto a ritroso i passi che lo separavano da lei, e l'ha vista ferma sulla porta dello studio con un'espressione indecifrabile.

Poi, da quel momento in avanti, il tempo si è come aggrovigliato: i secondi, i minuti si sono confusi sulla loro stessa natura, un'ora è stata come un giorno. Anche lo spazio ha vissuto incertezze. C'erano metri: sono diventati millimetri; e perfino i millimetri, a un certo punto, si sono arresi a qualcosa di infinitamente meno misurabile. Il gesto più impressionante è stato il primo: quando, a una distanza già molto sottile, lei ha passato velocemente il dito indice sul viso di lui, seguendo il profilo del naso, muovendo i baffi come erba di un giardino, scivolando sulle labbra, fermandosi all'altezza del pomo d'Adamo. Tutto è durato una manciata di secondi, ma il tempo di Moraldo segnava un'intera estate. È passata al tu, subito dopo, all'improvviso, chiedendo Vuoi del cognac?

A lui è sembrata l'unica soluzione per non cedere a un tremore – stava quasi battendo i denti – e perciò ha detto Sì, sì, sì, l'ha ripetuto tre volte, ma l'ultimo sì era per lei, anche il secondo forse, e allora mentre lei versava il cognac nel bicchiere, lui l'ha stretta alle spalle più o meno con la foga che aveva immaginato. Ha conosciuto la schiena di lei attraverso gli abiti; le mani hanno cercato il petto: non c'erano molti strati di stoffa, non quanti ne aveva previsti, a giudicare dalla precisione con cui ha avvertito il rilievo dei capezzoli. Il resto l'ha fatto lei, slegandosi dall'abbraccio, sfilandosi velocemente l'abito, mostrandogli i seni nudi, senza reggipetto, senz'altro che non fosse quel biancore: un fascio di luce che l'ha abbagliato. È stato ipnotizzato dalle sue sopracciglia, quando si è trovato alla distanza di un pollice dai suoi occhi ha subito distolto lo sguardo. Ha amato intensamente l'incavo delle spalle, la peluria lanosa delle ascelle. Ha adorato lo strato di pelle, sottile come la guaina di certi organi interni, che ai lati del busto fa cominciare il seno. Ha benedetto la forza di gravità che – lei inarcata sopra di lui – ha fatto somigliare le sue mammelle a due anfore di creta ancora morbida. Si è esposto, più tardi, alla lucentezza delle ginocchia. In prossimità delle dita dei piedi – così quiete, inerti – ha cominciato a parlarle di Kipling, per darsi un tono.

Lo conosci? Lei scuote il capo, restando sdraiata sul divano, come insonnolita. Poi dice Ho freddo. Lui la copre e, rivestendosi, comincia, recitando un articolo letto da poco: in questo poeta si sente il mito, non è facile trovarlo nei poeti d'oggi. Le dice Ci ha insegnato a vedere – e si chiude i calzoni –, ci ha insegnato a vedere per la prima volta cose come una locomotiva, una nave, un porto; le ha fatte esistere, le ha trovate – e loro lo attendevano. Lei ha gli occhi socchiusi. Lui abbottona la camicia seguitando la sua recita Noi avevamo poca cosa da prestare alle sue parole, avevamo il mare visto dalle banchine di Genova, o dalla spiaggia di Viareggio, o magari i piroscafi visti sopra qualche réclame. Quanto l'ho amata la storia di quel pittore che sta per diventare cieco e vuole affrettarsi a dipingere il suo capolavoro! Questa, tra le tante, è una frase tutta sua. Quel romanzo l'aveva tenuto sveglio per due o tre notti negli anni di ginnasio. Pensò che avrebbe voluto scriverla lui, una storia così.

Si aggiusta la giacca, cerca lo specchio, prende il pettine dal taschino e pensa Avevo la fronte piena di capelli, mentre continua a concionare su Kipling, come un merlo parlante. Nella cornice un po' sbreccata dello specchio, gli appare il riflesso di lei, che nel frattempo si è alzata: è ancora nuda; più che ignara, indifferente allo splendore del suo corpo. Le parole su Kipling si spengono nella bocca di Moraldo nell'attimo in cui lo specchio li contiene insieme – lui, uomo fatto, vestito come un impiegato, e lei bellissima, misteriosa ragazza che, per un intermittente pudore, adesso copre con la mano destra la cresta folta e scura del pube.

Il tempo e lo spazio, mentre lei si riveste, tornano alle posizioni consuete. Torna a essere venerdì, fuori sta piovendo a dirotto, non se n'erano accorti. Tornano a essere le tre del pomeriggio, tornano a scorrere i minuti come minuti, le ore come ore. Si riapre una distanza fra corpi più ordinaria: come si fossero rapidamente smagnetizzati. Che cosa è successo qualche momento fa? Dove resta scritto, dove resta segnato l'amore che facciamo? Il piacere, esiste solo provandolo. Tutta la concentrazione del mondo, un minuto dopo, non servirebbe a riafferrarlo là dove è svanito.

Lui adesso adopera il tu come una lingua straniera. Le dice Ti va allora di andare a vedere *La principessa giardiniera*, una delle prossime sere? Pare sia bello. Ora potrebbero interessargli, le principesse giardiniere, ora è cambiato tutto. Lei risponde Sì, però adesso vai, il proprietario non tarderà molto. D'accordo, ti telefono stasera in albergo, dice lui, e già non è sicuro di farlo davvero. Lei dice solo Sì. Nei suoi occhi, Moraldo non riesce a leggere vergogna, né pentimento. Non riesce a leggere niente. Sono assenti, come avesse dimenticato l'identità dell'interlocutore. La confidenza con cui a questo punto può dirgli ciao – un paio di sillabe da niente – sembra a Moraldo più fredda di quelle grigie e avvolgenti formalità tanto cariche di promesse.

Parigi. 31, rue des Écoles
Sabato 6 febbraio

Purché piaccia ad Ada io sono contento. La signora Paola lo guarda con aria materna. Piero ne ammira le qualità
pratiche – quelle che, mancandogli, lo fanno annaspare. Paola ha aperto un laboratorio di sartoria qui a Parigi, lui la conosce da molto, è una buona amica di Ada, ha lavorato come
lingerista per la sua famiglia. Gli ha parlato della possibilità
di avere in affitto tre camere a un sesto piano. Fermale subito, le ha risposto all'istante. Poi ha ragionato, ha pensato al
Pussin: come si fa al sesto piano con un bambino di due mesi? Paola ha sorriso, ci faremo prestare una culla, c'è una signora che ha conservato quella del figlio che ora ha sei anni.
Bene, dice Piero, purché piaccia ad Ada io sono contento, le
scriverò per annunciarle la cosa. Si sente alleggerito, più sereno. Presto potrà dirle di raggiungerlo finalmente a Parigi e di
portare il bambino. Saranno di nuovo in tre: ricomincerà la
vita di prima, e se non quella, ricomincerà comunque la vita.
Avrebbe mai detto, sette anni fa, che con una letterina
spiritosa imbucata in un pomeriggio di fine estate direttamente a mano – stesso stabile di via XX Settembre – avrebbe trovato sua moglie e la madre di suo figlio? *Gentilissima*

signorina, era proprio ineluttabile che nell'autunno del 1918 io dovessi armarmi di tutta l'impertinenza di cui sono dotato per turbare la tranquillità e gli ultimi riposi estivi. Era proprio ineluttabile. Tutto. Le aveva spiegato baldanzoso che stava per fondare una rivista studentesca fatta di soli giovani e che avrebbe gradito il suo contributo. Scopi: destare movimenti d'idee in questa stanca Torino. Lei aveva risposto qualche giorno dopo con una trentina d'indirizzi di possibili abbonati, divisi con diligenza per "molta probabilità", "media probabilità", "poca probabilità". *Domani venga da me* – le avrebbe scritto lui di lì a poco –, *il mattino 10-12 o il pomeriggio 15-17*. Lei si sarebbe presentata all'appuntamento armata di un suo romanzo inedito e di parecchie domande. Era il loro primo vero incontro e lei già gli consegnava tale parte di sé? La spingeva una fiducia istintiva. Lo spingeva una curiosità crescente. I panni erano quelli del pedante per scherzo, del burbero, ma intanto le spiegava cose, le recitava poesie. A quella di Ada Negri intitolata *Notte*, lei avrebbe attribuito l'inizio di qualcosa, qualcosa di più che una complicità amichevole.

Nel bambino chiuso, nel ragazzino sfottente che Piero era stato, Ada aveva aperto un varco. Non sapeva nemmeno lei come, e tuttavia era accaduto, incontro dopo incontro, lettera dopo lettera: che una porta sprangata da sempre cominciasse a cedere. Il cigolio erano i suoi modi ironici, quando non beffardi. Si ricordi di venir su se ha un momento libero. Dunque si faccia vedere e si prepari a suonare Wagner. Il giovane inquilino occhialuto dello stesso stabile non si era dunque ritratto, la porta si era socchiusa, lasciando prima intravvedere quella nuvola di carte, di idee – troppe per un diciassettenne –, e poi tutto il resto. Lui stesso, citando un poeta minore, un pomeriggio di fine luglio le avrebbe scritto *Piccola io t'ho aperto la porta/ della mia vita, non appena tu,/ stanca, ma certa, vi battesti su/ in quella prima sera/ con la tua pal-*

ma leggera. L'avrebbe subito richiusa, con lei dentro, per non farla più uscire. Ma quanto a lungo, anche con lei vicino, ha continuato a essere il lupo selvatico? L'omino di ghiaccio che temeva di scaldarsi troppo. Il-mio-carattere-disastrosamente-antipatico, la mia aridezza, le ripeteva, non chiarendo mai fino in fondo quanto ne fosse orgoglioso e quanto atterrito.

La sua freddezza esteriore lei ha imparato a maneggiarla in fretta. Gli offriva la propria ignoranza sulle palme aperte come un regalo: Piero lo scartava, scopriva che dentro c'era molta musica – ne sapeva poco o niente –, ma non c'erano De Sanctis e Croce. Allora lei, più docile del dovuto, si disponeva a passare giornate la cui tabella di marcia dettava lui. C'erano lettere che erano d'amore ma cominciavano così: *Il concetto che Croce dà dell'intuizione. Scrivimi tutti i dubbi che ti vengono,* concludeva. E lei, di rimando: *Vedrai quando avrò letto Croce che mostro di intelligenza sarò.* Povera Ada con il suo fidanzato-maestro, il giovane fenomeno incapace di stare fermo un istante, pronto a saltare sui treni per via di convegni, adunate, incontri con gente col triplo dei suoi anni. Hai bisogno di riposarti, provava a suggerirgli lei, pur sapendo che non avrebbe ascoltato: nelle sue quattordici ore di lavoro stipava un tale mucchio di letture, scritture, esperienze che altri avrebbero organizzato in un mese. Avrebbe voluto dirgli di fermarsi ogni tanto a guardare di più le cose – le montagne, la nebbia del mattino, il mare in estate. Avrebbe potuto dirgli Dove corri, Piero? La centesima parte del tuo ingegno e della tua attività basterebbe a giustificare l'esperienza di un uomo. Lui comunque si lagnava di avere fatto troppo poco, quando all'ottava ora di studio diceva di avere qualche preoccupazione per gli occhi – ma penso che quando li avrò abituati a non cedere mai, come sto facendo, rimarranno anche loro tranquilli.

Avrebbe dato molto, per riavere istanti di lui senz'altro che non fosse tenerezza. Ma bisognava stare nel suo progetto come una sola riga in un elenco molto più lungo. L'aveva trascinata nel lavoro delle riviste. Le dettava letterine per gli abbonati – *Abbonamento alla prima serie di 10 numeri ordinario lire 3, sostenitore lire 10.* Tradurre insieme novelle dal russo significava anche avere un'altra lingua a disposizione per sfuggire all'indiscrezione dei genitori: la parola amore si mascherava dietro il cirillico. Le leggeva versi, le offriva parole a voce alta, passandole la mano fra i capelli ricci. Le notti allora si popolavano di poeti giapponesi e drammaturghi russi.

C'erano momenti in cui lui crollava. Allora la cercava con uno slancio diverso, come una sponda per non affogare. Poteva essere agosto: era lontano per le vacanze e aveva sentito di non avere niente oltre lei. Nel letto, prima di dormire, era scoppiato a piangere, non riusciva a fermarsi, bagnava il cuscino di lacrime, di saliva, pensava ai libri, ai lavori da fare, e gli era sembrato tutto così vuoto, vano, proiettato nell'eterno al di là del tempo. Pensava alla sera che stava diventando notte. Allora si era messo a dire il suo nome – Ada – a ripeterlo tra i singhiozzi, tossendo, a dire Ada come si dice Dio perdonami. Forse era questo, pregare. Il nome Ada lampeggiava nella stanza come quando gli sembrava di leggerlo nell'insegna dei negozi, nei cartelloni delle strade, breve, sconfinato

ADA

e sentiva di stare al sicuro in quel nome come in una tana. Mio amore infinito. La tempesta sarebbe passata, avrebbe ricominciato a fare, a lavorare, a spaccarsi la testa su Platone, a mettere insieme gli articoli per la rivista, a scrivere lettere di nuovo baldanzose e austere. Sarebbe stato, fino al prossimo crollo, l'omino di ghiaccio tutto d'un pezzo. L'anti-sentimentale che censura negli altri le tentazioni romantiche, gli abbandoni emotivi. Li ha censurati anche in lei, portandola quasi a strapparsi di dosso la sua prima passione, la musica, spingendola verso la filosofia e la letteratura. A lei accadeva di pensarci come a una privazione. Non aveva forse, fin da bambina, sognato un palco e uno scroscio di applausi? Non che dal vero le fossero mancati: la signora Stella, maestra di canto della scuola Boerio-Ferraria-Gilardini parlava di lei come di una fanciulla assai dotata. Senza mai dirlo a parole, lui le aveva chiesto di scegliere. Aveva smontato le accensioni romantiche di lei, a volte con frasi dure, che la facevano piangere. Le chiedeva scusa il giorno dopo e lei chiedeva scusa per avere pianto. Lui era sempre l'omino di ghiaccio che un po' si scioglieva, lei era quella dei pianti esagerati e delle risate convulse. Ma nel frattempo le sue ambizioni stavano lentamente evaporando, si allontanavano da lei come uccelli dopo un grido – le vedeva passare e non sapeva più come fermarle, né perché.

Da piccola, all'improvviso, le prendeva una smania di correre, apriva le braccia e correva, correva, pensava di arrivare lontano, bastava fare ancora più forza sulle gambe, bastava chiudere gli occhi e continuare a correre, farsi aiutare dal vento, sarebbe arrivata lontano il giusto, fino alle porte del paese delle fate. Non arrivava mai, riapriva gli occhi e non c'era niente, avrebbe provato di nuovo, adesso le guance scottavano, non aveva più fiato, si piegava in ginocchio e restava in attesa. Sarebbe mai arrivata? Ce l'avrebbe fatta un giorno? Conoscere Piero, entrare nella sua vita, era l'arrivo nel paese delle fate, senza fate – però con lui. Incontra Salvemini e Nitti, ma lei può chiamarlo bimbo mio. Può fissare la luce della sua finestra illuminata fino a tardi. Può farsi aprire, se Piero non c'è, la stanza da sua madre, e restare ogni volta senza respiro di fronte a quel mucchio di roba – il suo mondo di carta e inchiostro. Cerca la sua bocca e sospetta che anche in quel momento lui abbia la testa altrove, ma non importa, sa cose di lui che gli altri non sanno e non vedono, e questo le pare infinitamente prezioso. Era bello quando lui parlava di lei, nelle lettere, talvolta perfino a voce, di lei come di un destino. Siamo cresciuti nello stesso stabile senza frequentarci, poi è arrivato il momento giusto, non vedi, siamo come Dante e Beatrice. Beatrice dal verbo beare. Te lo dico piano perché forse lo sai già: Beatrice sta lavorando a un'opera grande, grande, a cui ha dedicata la sua vita, e quest'opera è la tua felicità. Questo, nei momenti più pieni, più lieti, le bastava. Ma riusciva davvero a farlo felice? Capisci Didì, bimba mia, come è assolutamente impossibile che io ti risponda quando tu mi chiedi se sono felice?

Parlava a lei o a sé stesso? Scriveva a lei o a sé stesso?, quando diceva che gli era mancato di fare la guerra, di partecipare a quell'immane sacrificio collettivo – il paesaggio umano dei reduci, ammaccato, torvo, ammutolito, gli pesava addosso come un indice puntato contro, come una condanna. Lei avrebbe voluto dirgli Cos'hai da rimproverarti? Le avrebbe risposto Tutto. Avrebbe voluto dirgli Calmati, hai ventun anni. Le avrebbe risposto Sembro precoce, ma sono invece perfettamente maturo in ciò che faccio, eppure non basta. Non basta. Ho lavorato sulla letteratura, sulla filosofia, sul giornalismo, sulla critica d'arte, sulla critica teatrale, non basta. Se non scrivo drammi o romanzi è perché vorrei scrivere subito un capolavoro. Non basta nessuno sforzo, nessuna impresa, nessuna attività, se non c'è quella in cui ritrovare sé stessi per intero. Gli mancava questo. Le mie azioni singole saranno capite e io non sarò capito. Passava qualche giorno, ritrovava slancio, si riaccendeva, riprendeva il filo dei mille lavori, senza domandarsi per un po' quale fosse il senso – compierli è già senso. La vita, è già senso. Io non mi fermerò. Piero ti saluta perché ha molto da fare, ma lavorando ricorderà la sua bambina.

In questo ghiacciato sabato di febbraio vorrebbe fare molto, ma non ha forze sufficienti, ha questa stanza e nient'altro – la poca luce che entra è come un'infiltrazione di fumo. Prende la carta, le scrive, numera la lettera, si sforza di pensare in francese. *Ma petite chérie. Ho ricevuto ieri la tua lettera del 3-4.* Per un istante vede la loro storia d'amore come un lunghissimo corridoio fatto di carta. Le pareti sono fatte di lettere, buste, biglietti, cartoline, lasciano filtrare una luce tenue, giallina. Pagine scritte a penna, battute a macchina (ecco, avrebbe bisogno di una macchina per scrivere, vorrebbe chiederla a Olivetti), pezzi di carta imbucati a mano, o inviati da lontano: a volte portavano il profumo di lei fino a San Bernardino di Trana, fino a Firenze o a Roma. Lettere che sono state attese, lettere arrivate tardi, lettere mai arrivate. Appena mi sveglio, tu con il pensiero mi accompagni all'ufficio postale. In certi paesi di villeggiatura non si trovano francobolli.

I timbri sopra le buste sono un linguaggio a sé, la carta viaggia, prende i treni, vola, fa le sue tappe. C'erano segni lunghi come code di stelle comete e c'erano indicazioni che dicevano FRAGILE, perché i sentimenti purtroppo lo sono; oppure PRIORITÉ, perché a volte si vuole affrettare il tempo, anche se il tempo ha già di suo molta fretta. Quando si sta tre giorni senza qualcuno, una lettera che arriva è una gioia del cuore. Adesso che l'impiegato batte forte il timbro sull'affrancatura, vorrebbe dirgli Mi scusi, devo fermarla, avrei una frase da aggiungere, è una frase che mi è tornata in mente adesso, l'ho scritta una volta sola, è passato qualche anno, ma l'ho pensata spesso, l'ho pensata sempre, era per la mia fidanzata, che adesso è mia moglie e la madre di mio figlio, se ricordo bene diceva così: Una lettera di Didì è la vita sai? Quindi mandami tanta vita.

Bovis tiene sospeso in aria il cucchiaio con il brodo bollente, e sorride. Mi sono parecchio divertito, dice, a leggere il resoconto della seduta parlamentare di ieri. Lo scambio di battute fra gli onorevoli Maffi e Ferretti è degno di un palcoscenico d'avanspettacolo! La domenica, per Bovis, ha un cerimoniale fisso: la messa di prima mattina, l'acquisto delle paste, la lettura lenta e puntigliosa della "Stampa", il pranzo con i nipoti e la nuora. Del figlio non si parla, è morto da sei o sette anni per un incidente in strada, ma la prudenza nel nominarlo fa pensare a qualche vicenda più imbarazzante. La tavola dev'essere apparecchiata in modo da non confondere gli altri sei giorni della settimana con il settimo: la tovaglia bianca, i bicchieri di cristallo acquistati a Murano, le posate in sovrannumero.

Moraldo non può evitare l'invito: appena prova a schermirsi, la signora Alberta, con aria allarmata, gli dice che no, non si può fare da soli il pranzo della domenica. A mezzogiorno e qualche minuto il brodo è già servito, e Bovis ha cominciato a commentare le notizie nell'indifferenza dei bambini e del volpino bianco, che fra un rimprovero e l'altro si ostina a fare il giro del tavolo sperando di cavarne almeno qualche briciola di pane.

Il momento più divertente, seguita Bovis, è stato quando

a Maffi, che contestava l'istituzione dell'Opera nazionale dei Balilla, Ferretti ha risposto Voi comunisti i bambini li portate in Siberia! E questo Maffi, domanda Alberta, giusto per assecondare lo slancio del vecchio marito, questo Maffi come ha reagito? Non sapeva più che dire, sorride Bovis. Ha cambiato discorso, è passato alla crisi degli alloggi, alle questioni economiche. Quando in tavola viene servito il lesso, è già difficile rammentare quale battuta di Starace avesse provocato l'ilarità dell'aula della Camera. Per scatti progressivi e impercettibili, il discorso è finito sul divieto dei coriandoli per questo carnevale, su certi colpi di tosse notturna della bambina, su un'ottima marca di pastiglie per le laringiti.

Moraldo non interviene quasi mai. Di tanto in tanto Bovis lo incalza a dare il proprio assenso, ad annuire – non trova anche lei, Moraldo? Non le pare, Moraldo? A volte lo chiama il nostro futuro dottore, lui abbassa la testa come per ricevere una benedizione, ma è preso da un fastidio insopportabile. Gli viene da immaginare la faccia dei Bovis se di punto in bianco decidesse di alzarsi, e con una manata facesse sbriciolare a terra i bicchieri di Murano. Nel frattempo, i due ragazzini seduti a tavola lo osservano come un animale raro. Antonietto, racconta al signor Moraldo – e segue un'abilità irrilevante appena conquistata. Antonietto, dietro al cucchiaio o alla forchetta che sua madre gli sorregge all'altezza del mento, emette qualche suono, un inizio di frase che provoca all'istante la risata della sorella e dei nonni. La madre no, lei non sorride. Ormai impermeabile alle scenette del figlio, che pure sollecita, è una giovane vecchia slegata da tutto – l'estrema magrezza dà l'impressione che, occupando nel mondo uno spazio sempre più ridotto, si possa sparire da vivi.

Moraldo non ama i bambini. Non sa mai, chinandosi verso di loro, cosa sappiano intendere e cosa no, quanto intuiscano degli adulti: i loro occhietti impudichi spesso lampeggiano d'ironia implacabile. Adesso ne vede correre a sciami su piazza Vittorio, giocano a restare con il muso annodato fra le stelle filanti, a credere per qualche ora, fino in fondo, di essere Pierrot. Pazzi e sudaticci, sbandano rincorrendosi, senza curarsi di chi hanno urtato. Moraldo non avverte, osservandoli, nessuna nostalgia: quel sudore dolciastro, le guance arrossate, quel moccio, non lo riportano indietro di un millimetro, di un minuto. Al punto che – mentre una mascherina verde lo tira per la giacca, ripetendo tre, quattro volte Mi riconosci? – si domanda dove sia finita l'infanzia, la sua. Se c'è stata davvero.

Fantocci con la faccia di mostri, pagliacci, saltimbanchi, squilli di tromba, scoppio di petardi, la voce chioccia dei venditori di torrone o di palloncini. Frotte di ragazzi tentano di baciare sulle guance, a tradimento, ragazze sconosciute. Un giovanotto in maschera di Pulcinella grida Abbasso il socialismo, e corre via. Ma la verità appartiene alla musica triste delle giostrine, a quella nenia di carillon che pare avere assorbito tutta la malinconia del mondo. Devi tendere l'orecchio per afferrarla, mentre pilucchi da un sacchetto di confetti, o sgranocchi un pezzo di torrone.

21

bino festival

Amedeo talks about sex + attacking comunista
sex better than beating up comunist
recounts murder of a bar keeper

La sera cala con più lentezza. Alla fine del pomeriggio, nelle giornate serene, il cielo mantiene a lungo quella trasparenza
di cobalto che è già un presagio d'estate. Amedeo alza il naso
e Moraldo gli dice Hai visto? Cosa, gli risponde l'amico. Niente, il cielo. Alla fiera dei vini in piazza Carlo Alberto passano
fra i banchi, allungano verso piazza Castello con una bottiglia
ciascuno: il tempo di girare intorno a palazzo Madama e sono
di nuovo a comprare un altro litro di rosso da spartirsi. Moraldo stasera non ha voglia di pensare a niente, si lascia interrogare docilmente da Amedeo sulla fotografa: Com'è lì sotto?
Amedeo ride, Moraldo pure. Hai fatto bene a perdere la valigia, hai visto? Seguono aneddoti da fureria, il più vecchio dei
due enumera le ultime conquiste, tu non lo sai Moraldo, ci sono donne che con un bicchiere di vino partono, ti raccontano
i loro sogni più assurdi, non sai, si lasciano prendere con forza, e niente c'è al mondo di meglio, neanche menar le mani.
Moraldo ascolta Amedeo che si accalora, l'alcol gli ha fatto come una bolla intorno, il carnevale è un rumore lontano.

Seduti ai murazzi, cercano di non guardare troppo il fiume, sotto di loro, minaccioso a quest'ora di notte. Tu non sai
Moraldo, prendere una donna vale più che pestare un uomo
mettendoci tutta la forza che hai in corpo, mentre la monti
sei invincibile, sei immortale, mi è capitato poche volte di

sentirmi così, di avere il mondo in mano. E gli spiega com'è stato bello scatenare certe risse solo per il gusto di farlo, dire a un tizio fuori da un caffè Brutto maiale hai anche il coraggio di parlare, dopo aver sentito mezza frase sui comunisti. Una volta che provochi, devi avere il coraggio di seguitare, metterlo con le spalle al muro, fargli volare il cappello, aspettare che gli amici gli si facciano intorno per difenderlo e poi soffiare sul fuoco perché scoppi la rissa. Ho una medaglia al valore, ti implora quello, mi lasci andare. E tu, con rabbia Ci sputo sopra! Farabutto vigliacco carogna, devi gridare abbasso Lenin. Più forte, perdio! Più forte! E adesso grida Viva Mussolini! Non ti sento, vigliacco, non ti sento, fammi sentire, carogna! E vederlo scoppiare in lacrime, urlare fra i singhiozzi Viva Mussolini, sentirgli dire Sono un padre di famiglia, ho una moglie e un bambino, ridergli dietro, addosso, vederlo umiliato, lasciatemi andare.

Ti viene duro, Moraldo, ti si smuove qualcosa dentro che non sai, te ne freghi di chi sia l'uomo che hai davanti, sei tu a sentirti qualcuno, a sentire che il mondo può crepare ai tuoi piedi. E tu non sai, ma una volta fatto devi rifarlo, come con le donne, non ti basta, allora giri le strade con la squadretta di amici, qualche parola bofonchiata, sospetta, ti basta per alzare la voce, per provocare, per mettere in mezzo qualcuno. Manda giù l'ultimo sorso di vino, ha occhi spiritati che Moraldo non vede, è calato un nebbione fitto, o forse è il vino che hanno bevuto.

Amedeo continua ad agitarsi, parla in modo convulso, ripete che c'era anche lui, C'ero anch'io, c'ero anch'io, non so se te l'ho mai detto. Moraldo gli chiede Dove? Ma lui non sente, dice C'ero anch'io, faceva un freddo becco quella notte, era sotto Natale, avevano ammazzato Dresda e Bazzani in corso Spezia, te lo ricordi? Non ascolta la risposta, va per la sua strada: c'era stata una mischia, per una storia di donne, poi il Fascio aveva riempito la città di manifesti con scritto che bisognava vendicarli, erano partite le spedizioni, i circoli comunisti andavano a fuoco. C'era l'ordine di fare casino, di non guardare in faccia nessuno, il giorno dopo siamo piombati in una trattoria di via Nizza, abbiamo perquisito tutti, un operaio della Fiat aveva la tessera socialista e si è beccato una rivoltellata in una gamba. Poi abbiamo preso di mira il proprietario: Tu hai la tessera comunista, gli abbiamo detto sbattendolo al muro, hai la tessera comunista, cacciala fuori sacco di merda, e mentre lui diceva No, vi sbagliate, uno di noi lo teneva per il bavero, gli altri hanno cominciato a spaccare tutto, a far volare le sedie, i piatti dalle credenze, a lanciare bicchieri e posate contro le pareti, a ribaltare i tavoli. Io, Moraldo, ho visto la paura negli occhi di quella gente, l'ho vista sudare, tremare, ho visto uomini rannicchiarsi come animali spaventati. Ma la pietà non ti frena, ti fa più feroce, mi sono avvicinato a quel tale, gli ho detto di nuovo Mostraci la tessera dei comunisti, ha ripetuto che no, non l'aveva, che anzi era dei nostri, l'ho schiaffeggiato, mentre un altro lo teneva fermo contro il muro, gli ho colpito i coglioni con le nocche, l'ho colpito di nuovo, a quel punto lui ha ripetuto Sono dei vostri, vi supplico, singhiozzando, il capo ci ha ordinato di scansarci e ha sparato all'altezza del petto. Il corpo è venuto giù lentamente lasciando una scia di sangue contro il muro.

Amedeo batte i denti, sbava, si piega verso il fiume e al secondo conato non trattiene il vomito, una poltiglia gialla scende oltre il parapetto e svanisce prima di incontrare l'inchiostro del fiume. Moraldo si ridesta, si alza, trattiene il busto dell'amico con un braccio. La testa gli scoppia, la vista è annebbiata. Pensa Era meglio non sapere niente. Guarda l'amico con compassione, scuotendo appena il capo, come farebbe il padre che Amedeo non ha più. Lui, passandosi il dorso della mano sulla bocca, ripete due o tre volte una frase senza suono, come afono: non era un comunista, e bestemmia. Non era un comunista.

Benedetto Croce 1866 - 1952
philosopher historian politician
Felice Casorati 1883 - 1963 painter
Turin arrested 1923 then lay low
Thomas Gainsborough 2 Lady Alston
Piero thinks about freedom

Parigi. 31, rue des Écoles
Domenica 7 febbraio

Per essere liberi bisogna andarsene? Per scrivere, per parlare, si è costretti a cambiare luogo, a strapparsi le radici dai piedi? Non lo soccorrono che figure di sconfitti, di esiliati. L'impeto e gli eroici furori di Giordano Bruno sono ridotti alla nuvola di fumo nero sopra Campo de' Fiori? Quello di Campanella è soltanto il sogno di un prigioniero? Il veggente apostolo, il titano, i cui versi gli zii Spaventa davano da bere al ragazzino Croce insieme al latte. Il vecchio zio di Napoli, come Piero lo chiama per scherzo, è rimasto, non è andato via. Saldo come uno scoglio, come la rovina di una civiltà millenaria, Croce non si muove, resta.

Con le mani che tremavano un po', la prima letterina Piero gliel'aveva scritta allegandogli il numero uno della rivista liceale. Nella seconda (non aveva ottenuto risposta), al corrente di un soggiorno torinese, si era fatto avanti per un incontro. Con il tempo ne era nata una familiarità, a tratti perfino affettuosa: ma c'è sempre qualcosa di maestoso nell'avere davanti agli occhi gli occhi di chi ha formato la tua mente. Da ultimo, a più riprese, aveva richiamato il suo esempio:

può essere maestro agli italiani nella serenità del combattere. La serenità nel combattere.

Non bisogna perderla mai. Abbottona il cappotto, si aggiusta gli occhiali sul naso. La giornata è bella: merita slancio, un passo più svelto, una destinazione. A luglio, con Ada, mettere di nuovo piede al Louvre era stato elettrizzante: già nella prima sala, lui era rimasto estasiato davanti al corpo nudo di donna su una tela di Ingres. Tiene un'anfora sulla spalla sinistra, l'acqua le sgorga fra le dita e poi giù, lungo i fianchi. Si può essere gelosi di un quadro?, ha pensato Ada, immobile davanti alla castità di una Vergine di Memling che la commuove. Poi, dal niente, è apparso il pittore con le ghette, Casorati – e non era un quadro, era lui, lui in carne e ossa e barba da impressionista. Possibile che non ci si veda per mesi a Torino e ci si trovi qui? Casorati scherza sempre, Piero di rimando gli dice Lo vedi, lo dicevo io che Parigi è una città provinciale dove non succede niente e si incontrano sempre le stesse persone. Elegantissimo, freddo Casorati con occhi di carbone sotto le sopracciglia folte. Piero pensa all'amico con divertita nostalgia: da quella sua aria di colto smemorato era stato conquistato subito. Così come era stato conquistato dalla luce dei suoi quadri – una luce di mattina presto, tenue, fredda, che forse veniva da Piero della Francesca, o forse era solo il bagliore delle sue mani.

Si ferma a guardare il museo da fuori. Ama come sbiancano al sole le mura di questa fortezza. È preso dal desiderio febbrile di rimettere mano agli appunti sulla pittura, ha il taccuino con sé, ne sfoglia rapidamente le pagine, il vento sul pont des Arts ha cominciato prima di lui.

Mai come di fronte a un quadro, la sua scrittura muta di segno: è costretta a piegarsi verso terra, a pescare da un lessico diverso e più caldo. Laddove stavano incise nel marmo le parole neo-guelfismo, liberalismo, demagogia, programma, governo, Stato, qui stanno segnate a mano leggera – come a carboncino, sulla carta da pacchi – le parole luce, fiore, orto, nuvola, lontananza. Qui stanno parole soffici. Qui stanno cose modeste e sentimenti – tristezza, calma, dolcezza – che diventano colore. Solo scrivendo di pittura impari a pronunciare davvero i colori. A dire grigio, come l'orizzonte. Giallo, come un angelo. Blu, come quel cappello. Bianco, come quel lenzuolo. Verde come è verde l'albero scosso dal vento, in un paesaggio di Thomas Gainsborough. Verde come il verde cupo dietro Lady Alston: stamattina Piero dedica soltanto al ritratto di questa donna più di un quarto d'ora. Resta a contemplarlo, a sfidarne il segreto. Nel viaggio a Londra si era appassionato alla vita del figlio di mercante diventato celebre come ritrattista ma in realtà disgustato dai ritratti. Avrebbe voluto dipingere paesaggi, invece gli toccava immortalare dame che non avrebbero trovato marito, con le loro tazze da tè, le loro danze, i loro scialli d'argento.

Gli piace che sia stato un uomo incontentabile, che non smetteva di cercare. Gli piace che fosse un gran lavoratore, incapace di riposo, che sapesse dove voleva arrivare, senza arrivare mai. Gli piace la sua vita di provincia, non cosmopolita – scelta come riparo dalle intemperie del mondo. Gli piace lo sguardo deciso, sincero, fedele di quel ragazzo in blu dipinto nel 1770. Il freddo splendente di quel blu. Gli piace che si possa pensare di dipingere un ritratto come si dipinge un paesaggio. Come se fosse la stessa cosa.

Mentre seguita a scrutare Lady Alston, intuisce che il suo abito largo, fitto di minuscole pieghe, è trattato dal pennello come le fronde alle sue spalle, come se la natura fosse un tutto senza distinzioni. Non capisce se quella luce nel bosco sia un fuoco acceso, un'alba, un tramonto. È giusto che resti un mistero, come la grazia del pittore Gainsborough e la verità ultima dell'essere umano Thomas. Il pittore non ci lascia vedere, di sé, che un'immagine: il luccichio giallo nel folto delle foglie. Non sappiamo cosa pensasse nell'intimo, la tristezza del suo esilio fra gli uomini tra cui doveva vivere, la gioia del dipingere. Forse Lady Alston qualcosa sa, qualcosa in più di noi: bisognerebbe solo provare a chiedere, si dice. Ma lei stringe le labbra e seguita a guardare un punto imprecisato verso destra, oltre la tela, lontano. Piero vorrebbe sapere di più del carattere dell'artista, dei suoi difetti. Si specchia nella sofferenza nascosta dal suo aspetto sereno, da un sorriso che sembra un sorriso ma non fa luce sul volto, fa ombra.

Signora Alston – si ferma all'inizio della frase. Signora Alston, signora Alston –

Parigi. 31, rue des Écoles
Lunedì 8 febbraio

La visita al Louvre l'ha lasciato spossato. Si sveglia soltanto ora, è già quasi mezzogiorno. Sente le gambe indolen-
zite, i muscoli, le ossa pesanti. Sente anche molto freddo. La
febbre fa piovere all'interno del suo corpo una debolezza
che raggiunge ogni angolo, ogni poro. È una debolezza feroce, accanita: rende titanico il più piccolo dei gesti, logora la
forza di volontà fino a spegnerla. La tosse se la porta dietro
dall'autunno, ma il freddo di Parigi l'ha resa più secca, stiz-
zosa. Lascia sul palato il sapore ferroso del sangue. Tirare su
il letto, sciacquarsi il viso, fare ordine sul piccolo scrittoio –
tutto gli dà un affanno eccessivo, sente il cuore pulsargli
all'altezza della fronte. Socchiude gli occhi, si siede sul bordo del letto, la luce in questa stanza è scarsa, è grigia. Si sente quasi soffocare, le pareti gli si chiudono attorno. E poi è
sporca, malmessa: bisognerà abbandonarla presto, ne parle-
rà con gli amici. In un posto pulito, arioso andrà meglio. Si
rimetterà in forze. Ammalarsi non è che una nostra distrazione, un cedimento. Se stessimo sempre all'erta, se non ci di-
straessimo mai, forse non ci ammaleremmo. Forse è solo per
distrazione che moriamo.

105

Il corpo, lui l'ha sempre ignorato. Se volessi restare sette volte sotto il tram e non morire, ci riuscirei. Ha preteso che non fosse un ingombro, un intralcio. L'importante era precederlo, aggirarlo, fare in modo che non avesse troppe pretese. Non è altro che materia da educare con il rigore dello spirito. Come tentava di imporre il proprio dominio alle febbri – la frontiera fra salute e malattia è così sottile, in fondo! –, così ha fatto con ogni sorta di pulsione. Durante la leva, nel '19, era stato incaricato dai maggiori di invitare i commilitoni all'uso di precauzioni sessuali. Aveva rifiutato: li avrebbe piuttosto invitati alla castità. Non c'entravano Dio, né i preti. Era la sua ruvida legge morale – controllo di sé, distacco da stoico. Perdeva consenso, su questo, anche fra gli amici più stimati e vicini. Gli ridevano davanti, dicevano che pena sarebbe, arrivare casti al matrimonio. Una sera, camminando verso il Po, aveva sentito perfino Gramsci fare un commento osceno su una puttana. L'aveva vissuto come una delusione personale.

Bastava metterci concentrazione, impegno: per non essere schiavi di niente. Ti ridono dietro? Lasciali ridere. Sono gli stessi che ti guardano come un alieno, sulla spiaggia di Laigueglia: tu magrissimo, bianco come un cencio; loro lì, con i muscoli che brillano, ad azzuffarsi nella sabbia, a parlare di donne, a rincretinire al sole. Tu con il disagio di stare in braghette di tela – si indovina la forma del sesso –, loro ridanciani e sicuri di sé, presi da chiacchiere vuote di società balneare del secolo ventesimo. Che cosa possono capire? Dentro di te li annienti a furia di disprezzo: la peggior genia di fannulloni. Pigri, irresponsabili. Tu rimani con i piedi ben piantati nella sabbia come un tronco, con l'accappatoio addosso, a leggere il *Manuale di economia politica* di Pareto. Poi, una volta a casa, con la pelle irritata dal sole, avrai tutto il tempo di pentirti: della tua stessa arroganza, della facilità di giudizio, della brutalità. Sono cattivo, sono ingiusto. Sono un egoista. Non ti eri forse ripromesso di pensare a ogni anima come a un problema?

E d'altra parte no, non basta studiare. Non basta chiudersi a leggere tranquilli in una stanza. Anche qui a Parigi, per prima cosa bisognerà riaprire la casa editrice, stampare libri, i libri degli altri, far circolare idee, farle muovere. Più che le giornate spese a leggere, a prendere appunti per quattordici ore di fila, passando da un volume all'altro, da una materia all'altra al primo segno di stanchezza, e andare avanti fino a sera, fino quasi a stordirsi; più che quelle giornate, gli manca, per esempio, il rumore di una tipografia.

Quel fragore di ferraglia che rende faticosi i discorsi, come stare agganciati a un treno in corsa. L'odore di inchiostro, di petrolio che brucia le narici. Il tintinnio di legno e piombo dei caratteri tipografici pescati dalle cassette.

R Cs TE
b U L N G à

Le liti con il tipografo che chiede un aumento, o con il proto, per un errore nuovo spuntato dopo tre correzioni. L'odore della carta. Lo spessore, della carta. Le casse da schiodare con le prime copie dentro – e quell'istante in cui, presa a caso la prima, preghi quasi in ginocchio che tutto sia perfetto, che nessuna pagina sia sbiancata, cominciare a leggere, lì in piedi, nel rumore, come se quelle parole fossero nuove, sconosciute, perché un libro, quando è diventato un libro, è una cosa nuova, una cosa che prima non c'era, non c'era in natura e adesso esiste, come un essere umano al primo vagito, come una pianta, come ogni genere di cosa che cresce. Anche un piccolo editore, come Dio la prima settimana del mondo, può sentire nelle mani il potere della creazione. Accarezzi l'avorio ruvido delle copertine, ti compiaci ancora una volta del motto scelto, quasi uno stemma, in lettere greche: *Che ho a che fare io con gli schiavi?*

Il poeta di Genova aveva chiesto di eliminarlo, di fare un'eccezione per la sua prima raccolta di liriche, non gli piaceva per niente. Non era stato accontentato. Tutt'altro che simpatico, lamentoso invece, e un po' acido, avrebbe brontolato anche dopo l'uscita: scorretta e brutta edizione! la carta è troppo sottile! Ma era stato l'ultimo a salutarlo prima di Parigi, si erano abbracciati alla stazione di Genova. E comunque non bisogna dare troppo peso agli autori, il loro mestiere è anche lamentarsi, avere pretese.

> *Godi se il vento ch'entra nel pomario*
> *vi rimena l'ondata della vita*

Erano così belli, così nuovi, questi versi! E adesso esistevano. Esisteva il verso che dice *E piove in petto una dolcezza inquieta*. Un'upupa e la fine dell'infanzia, detti in quel modo: esistevano. *Volarono anni corti come giorni.*

Questo è il bello di fare l'editore, il compito grande delle tipografie: fare esistere le parole, le idee. Con un occhio ai conti, quattro librerie modello per stare dietro alle oscillazioni del mercato, si può fare tutto, senza rinunciare a fare cultura. La crisi è sempre esistita e continuerà, è soltanto un alibi.

Non vede l'ora di tornare al lavoro, di ritrovare i fusti di piombo che portano i caratteri pronti a inchiostrarsi, a diventare sillabe, parole, per esempio

RIVOLUZIONE

e farla diventare il nome di un giornale; si potrà rifarlo anche da qui, in francese, e mettere insieme parole, per esempio

Come combattere il fascismo

e farle diventare un titolo di quel giornale, mettere insieme parole e farle diventare frasi, per esempio

nella battaglia di oggi sono impegnati gravi destini,

mettere insieme frasi, e farle diventare idee, per esempio

l'uomo di libri e di scienza cercherà dunque di tenere lontane le tenebre del nuovo Medioevo continuando a lavorare come se fosse in un mondo civile.

Ma adesso la tosse diventa imperiosa, violenta, invade tutti gli spazi del pensiero, non si lascia più ammansire dalla volontà. Lo scuote, facendo ballare gli occhiali sul naso, gli piega il busto in avanti come sotto sferzate. Avverte una fitta improvvisa al torace. Questa stanza sempre più nemica è priva d'aria, prende un colore rosso scuro, come dentro la cassa toracica i suoi polmoni. Si ingorgano i vasi sanguigni, gli alveoli sono gonfi di liquido, anche lì manca aria. Batte i denti dai brividi, si infila sotto le coperte, non basta, la tosse non dà tregua. Porta una mano alla fronte, è bollente. Come si fa ora, come. Sento il rumore del mio corpo.

Non riesce a non pensarci. Moraldo sa che sta perdendo tempo, che ne ha perso già troppo. Ma più cerca di allontanare l'immagine di lei dalla testa, di cacciarla con tutta la durezza di cui è capace, più lei gli si ripresenta per fotogrammi ossessivi: prepotente, sensuale. Il solito senno del poi, buono per le fosse, gli dice che avrebbe dovuto mostrarsi diverso: più deciso, più sicuro di sé. In una parola, più uomo. Avrebbe dovuto condurre il gioco, non farsi stordire dal cognac, non lasciare che lei si spogliasse da sé. Avrebbe dovuto schiacciarla lui con il proprio peso, anziché trovarsi a fissare il soffitto, bianco come il resoconto della sua vita. Amedeo, lui sì, avrebbe saputo come comportarsi. La forza, mi è mancata la forza, il vigore. Devo essere apparso ai suoi occhi come un uomo sfocato, un provino fotografico mal riuscito. Prima che svanisse dai baffi il profumo di lei, aveva tuttavia sentito un calore nuovo propagarsi nel corpo, la fiamma che riaccende un camino spento da anni. L'acqua fredda dei modi spicci di Carlotta, la sua esibita indifferenza non hanno domato quel fuoco, forse alla lunga l'hanno perfino alimentato. Vorrebbe parlarle di nuovo, rivederla, ma è già passato qualche giorno senza un segnale.

A un chiosco acquista una copia dell'"Illustrazione Italiana", come se potesse trovare fra quelle pagine notizie di lei.

Quale, tra queste fotografie, potrebbe avere scattato? Finito di fumare il suo sigarino, arrotola la rivista e sale sul tram. Osserva curioso due ragazzette mascherate, i loro cappelli a pan di zucchero: fanno le spiritose con un buffone che a sua volta le fa ridere, indicando una vecchietta. E lei, da cosa è mascherata?, domanda alle ragazze, con un cenno della testa. La vecchietta non si accorge di niente, passando davanti ai Santi Martiri si fa il segno della croce, uno scarabocchio intorno al viso. Moraldo la scruta con più attenzione – il fazzoletto verde annodato sotto il mento, il grosso naso che le invade la faccia, le labbra ripiegate in dentro, la pelle avvizzita, di un colore opaco, fra il grigio e l'ocra. Non è una maschera di carnevale: è la sua maschera di ogni mattina, di sempre. Quand'è che si comincia a indossarla? Quand'è che, senza farci caso, cominciamo a diventare la maschera di noi stessi? Il naso diventa sempre più il nostro naso. La bocca, sempre più la nostra bocca. E le espressioni del viso, i modi. Non è forse questo, il principio di ogni caricatura? Non è forse la vita stessa, fatta per finire in una caricatura?

Con un moto di tenerezza la sua mente corre al quaderno fitto di disegni. Dopo averlo recuperato insieme alla valigia, non l'ha più aperto. Ora, se avesse modo di parlare una buona volta con l'editore giovane, sente che troverebbe perfino il coraggio di mostrargli i suoi lavori. Passa davanti al numero 60 di via XX Settembre e torna a pensarci: pur di vedere compiuto qualcosa, nello spazio vuoto che è la sua vita, si metterebbe a fare il correttore di bozze. Gli parlerebbe finalmente senza pretese, con la docilità di chi non può dire di no a niente e aspetta solo un sì. Non importa a cosa di preciso: purché non sia l'ennesimo silenzio, l'ennesimo rifiuto.

La mansarda dei Bovis in questo stupido febbraio si scalda a fatica. Prima di sedersi alla scrivania, Moraldo sfila una coperta di lana dal letto e se la avvolge intorno alle spalle, a mo' di mantello. Soffia sulle mani, le sfrega tenendo una matita fra i palmi. I rumori del carnevale gli arrivano attutiti, come a un organista le preghiere dei fedeli. Punta la matita sul foglio, ma i gesti sono incerti, da principiante, o arrugginiti. E adesso chi disegno. Sorride, perché se lo è chiesto con le stesse parole con cui, già più che bambino, provava a rifare gli animali imitando lo stile di Toppi, oppure facce di persone, copiando Rubino.

Gli viene un'idea, piuttosto sciocca. La asseconda. Quasi per gioco, per sfida, prova a tracciare il volto di lui – l'editore giovane. Appena crede di averlo afferrato, gli evapora davanti agli occhi. Abbozza una figura longilinea, stretta come un punto esclamativo. Cancella, e azzarda ancora. Dopo quasi un'ora, la pagina ingrigita dalle cancellature e solcata da troppi segni di matita, lascia intravvedere soltanto due dettagli, come oggetti fosforescenti che danzano in un banco di nebbia. Un paio di occhiali tondi, un cravattino, un colletto di camicia con le punte arrotondate.

Stanco dell'esperimento, sfoglia il quadernetto a ritroso. Possibile che non se ne fosse accorto? Questo è un segno. Nota che una pagina, tra le prime, è strappata a metà. Dei due volti di profilo che si guardavano, è rimasto quello maschile. Non sa che cosa pensare. Se considerarlo un dispetto infantile, uno sgarbo. E se fosse, invece, una sorta di messaggio cifrato?

Per intanto, il D'Annunzio disegnato guarda nel vuoto, senza più Eleonora Duse a due centimetri dal naso. Qualunque ragione abbia il gesto della signorina fotografa, Moraldo non riesce a ignorarlo. È un segno, e come tale va studiato, interpretato.

Certo è che a questo punto il mistero Carlotta si infittisce, lo lascia a grattarsi la testa come il finale di un romanzo poliziesco. Non potrebbe piuttosto archiviare il caso per assenza di prove e, alla buon'ora, rimettersi su qualcosa di serio? Sugli esami che gli restano, per esempio. Su una qualunque materia di studio che gli offra pretesti per buttare giù un articolo, un mezzo saggio da proporre in giro. Datti una mossa, Moraldo, quest'inerzia, questo disordine non promettono niente di buono. È ora di darsi da fare, di lasciare perdere una volta per tutte i grilli e le fantasie.

Da quando, l'estate scorsa, gli sono capitati sott'occhio i versi di un poeta nuovo – dicono *Ti guardiamo noi, della razza di chi rimane a terra* –, come il ronzio di un insetto non si sono più tolti dalle orecchie. E tanto altro, di quella raccolta stampata dall'editore giovane, l'aveva colpito: tra matasse di versi che a lui risultavano oscuri, se ne staccavano alcuni che come lapilli illuminavano per un istante l'insieme. Erano versi in grado di mandare in pensione una generazione o due di poeti, Carducci e Arturo Graf erano già preistoria in uno schiocco di dita. *Spesso il male di vivere ho incontrato.* Parlava per lui, di lui, di certe giornate buie e fonde come pozzi.

Ma arriverà, sta per arrivare, si dice, il momento buono per risalire, per non restare a terra. Ha sempre avuto una passione per ciò che si stacca dal suolo, sconfiggendo la forza di gravità, non è forse così? Era bambino, suo padre gli segnava a dito qualunque oggetto in volo – perfino spore, rondini, bolle di sapone. Il padre aveva a che fare con le scarpe? Bene. Il figlio alzava il muso in aria, per istinto, per gioco, per reazione – stregato da tutto ciò che, per muoversi, non avesse bisogno di piedi e di scarpe. Volatili, velivoli, idroplani, palloni aerostatici. Anche i dirigibili, che però la guerra aveva reso neri, minacciosi, lugubri. Vai, Moraldo, sbatti le braccia, provaci, rideva suo padre come un mangiafuoco, con quella risata cavernosa piena di catarro, che rimbalzava e si spegneva sulla spiaggia. Lui allora sbatteva le braccia, pensando sono un airone, una gru, sentendo di avere le piume e gli occhi ai lati della testa, ci metteva tutta la concentrazione possibile, intorno brillava il lungomare di Cogoleto, la riviera era sbocciata come un fiore. I piedi sono leggerissimi, papà, non li ho più! Arriva, il momento di alzarsi, di staccarsi da terra.

Il primo verso dice *Triste anima passata*. Poi, a capo, il secondo dice *E tu volontà nuova che mi chiami*. Stasera, di quel poeta, decide di ricordare soltanto questo paio di versi, cancellando tutto il resto. Gli basterà che accada qualcosa, per infrangere come un vetro il suo tempo sospeso. La farà accadere.

Ha bofonchiato qualcosa, ha quasi nascosto il nome Carlotta dentro un colpo di tosse. All'altro capo del filo gli è stato detto Parli più forte! Non è servito a molto. La signorina ha lasciato la stanza. Lasciato. Anche questo è un segno, almeno quanto la pagina di quaderno strappata. Il segno che segue corregge il precedente. Datti pace. Moraldo quasi vacilla, la mano è ancora attaccata alla cornetta.

Ritiene di essere passato molto vicino a qualcosa di importante, che poteva cambiargli la vita. Ritiene che non è semplice riconoscere queste occasioni: nel corridoio della realtà, sono porte che si aprono improvvise, passa qualche minuto, un'ora, il vento le fa sbattere per un po', poi le chiude. Ritiene che, non potendo aspettarsi niente di preciso, poteva perciò aspettarsi tutto. Sta per convincersi, si è già convinto che addentrarsi e sostare nello spazio imprevedibile, convulso dell'esistenza di lei, non gli avrebbe tolto ma aggiunto. Aggiunto qualcosa che adesso non ha. Non sa, non può immaginare cosa.

Cammina ferocemente nella pioggia, attraversa la strada di fretta, senza guardare. Un uomo, da un carro, lo insulta. Farabutto, guarda dove metti i piedi! Si sarebbe esposto al disprezzo di lei come a quello del carrettiere: avrebbe fatto anche questo. Avrebbe lasciato che lei umiliasse, uno a uno, gli stupidi, ottusi, vigliacchi Moraldi che finora se n'erano rimasti al calduccio, al sicuro. Avrebbe permesso che a ciascuno ridesse in faccia, o facesse volare il cappello con una sberla. Le avrebbe detto che ha scritto poesie: solo perché lei lo compatisse il giusto. Le avrebbe offerto il racconto di almeno una dozzina di fatti della sua vita per i quali arrossiva.

Giocavamo a calcio con una palla di giornali stretta da uno spago, mi urlavano in coro che non valevo niente, che non sapevano dove mettermi, ho pensato Dio ti prego fammi diventare un palo di questa porta improvvisata, fammi sparire. Le avrebbe confessato di essersi pisciato sotto, sei anni fa, un incubo che da tempo non tornava era tornato, avrebbe incendiato le lenzuola purché nessuno lo sapesse. Le avrebbe detto di avere fatto finire la storia con la ragazza che leggeva Nietzsche senza un motivo valido, o meglio: non aveva lasciato nemmeno che cominciasse sul serio. Avrebbe aggiunto che ha sempre provato vergogna per il lavoro di suo padre, e che comunque non smercia scarpe di lusso all'estero, ma ha una botteguccia qualunque a Casale, in via Roma. Le avrebbe detto che forse quella storia di suo nonno fondatore del corpo Cacciatori delle Alpi sotto Garibaldi, forse non è vera. E ancora, che lui disegna caricature, sì, da molto tempo, e sì, gli piacerebbe pubblicarle da qualche parte, perché per ora un saggio di filosofia politica non saprebbe proprio metterlo insieme. Che la politica lo confonde, che invidia chi sa stare da una parte con convinzione, che qualche anno fa ha scritto una lettera a un giornale, su un sindaco delle sue parti picchiato dagli squadristi, e poi più niente. Che ha mandato due lettere a un editore giovane che non si è degnato di rispondergli e che per questo, a lungo, l'ha odiato. Che anche il rancore è un alibi. Che adesso comunque proverà a parlargli di persona, perché forse imbucare una lettera e mettersi ad aspettare la risposta non basta, se vuoi ottenere qualcosa, se ci tieni veramente. Che qualche volta, alla sua età, gli capita ancora di piangere – come in questo tardo pomeriggio di febbraio, mentre Torino sparisce, è una parete grigia pronta a franare nel Po, non si vede nemmeno più la Mole, mentre lui cammina ferocemente sotto la pioggia e non sa più quali lacrime siano le sue.

Scende per corso Moncalieri verso il Valentino, il cielo continua a buttare acqua a secchi, il suo cappello è già zuppo. Però seguita a camminare spedito, fino a che non resta bloccato, all'altezza del ponte Umberto, da frotte di gente che si muove a rilento sotto gli ombrelli scuri. Per un attimo pensa a un incidente per via della pioggia, o che qualcuno si sia buttato nel fiume. Poi dal frastuono, dal fermento capisce che aspettano una sfilata: è giovedì grasso, se n'era dimenticato. Un cordone di agenti e di ragazzini coi berretti colorati contengono la folla ai due lati dello spiazzo. Sfilano le vetture con a bordo le maschere delle città italiane, ma né Pantalone né Rosaura hanno intenzione di scendere, salutano dai vetri, qualcuno ricambia agitando il fazzoletto con la mano libera dall'ombrello. Passano Balanzone, Fasolin, passano perfino Renzo, Lucia e don Abbondio, fanno ciao alla gente che li acclama. I gonfaloni schioccano per il vento, gli araldi a cavallo sbucano alla cima del ponte, i corsieri trottano lenti e infastiditi dalla pioggia. Squillano le trombe, una corrente elettrica si propaga fra i corpi: è qui! arriva! I bambini frignano, vogliono essere alzati in braccio, lasciano cadere a terra le stelle filanti, che dopo un istante sono già carta pesta. È qui! Arriva!

Ma chi?, domanda Moraldo, un po' sovrappensiero, ma lo dice a voce alta. Un omaccione barbuto con la bombetta si volta verso di lui e lo incenerisce con lo sguardo. Tutta Torino, gli dice, tutta Torino aspetta, e lei non lo sa? Ma dove vive? Gianduia, ussignùr, arriva Gianduia! Non sfila da anni! Se non ci fosse questa maledetta pioggia, tutta Torino sarebbe qui. L'uomo torna a guardare la strada, le trombe squillano di nuovo, si intravede la berlina con a bordo Gianduia, la folla lo invoca, applaude, i bambini gridano Evviva, hurrà! Perfino i tram restano in attesa. I battimani e le grida arrivano anche dai balconi, la macchina si ferma, Gianduia scende e fa un inchino, un paggio gli tiene sulla testa un grosso ombrello rosso. Allunga un braccio verso la vettura e prende la mano di una signora, la gente urla, impazzisce: c'è anche lei! A Moraldo – nel rumore, nella pioggia che scroscia – sembra perfino di sentire un altro nome, un nome che adesso gli è caro, ma il nome non è quello, il nome è Giacometta, la consorte di Gianduia, nel suo abito di velluto rosso. Sbucano dietro i due sposi un nugolo di Gianduiotti che fanno baldoria agitando i codini all'insù, si rincorrono senza curarsi della pioggia.

Il tempaccio dà a questo carnevale l'aria di un sortilegio triste: sembrano maschere anche le facce sorridenti, Moraldo ha l'impressione che, afferrate per un lembo sotto il mento, si potrebbe strapparle via a una a una, lasciando ricomparire la verità quasi funerea di occhi spenti, orbite fonde, bocche simili a tagli sulla carne. Soltanto i bambini ridono davvero: le loro vocali lunghe squillano nell'acquazzone come campanelli, ravvivano la pioggia, la consolano, fino a farla smettere.

26

Parigi. Rue de Vaugirard
Giovedì 11 febbraio

Da lunedì in poi, sull'agenda, ha scritto soltanto: *malato*.
Piero intende tenere il conto dei giorni che perde. Le cose da
fare sono tante, ne parla con gli amici che passano a trovarlo. Si siedono intorno al letto, lo stanno ad ascoltare, gli dicono di non affaticarsi, lui li rassicura, Vedrete che basterà
un po' di riposo. La notte di martedì però è stata difficile, il
cuore batteva all'impazzata, l'affanno gli impediva di parlare
e il resto lo faceva la febbre. Ha tenuto a lungo gli occhi
chiusi fino a scivolare in un dormiveglia da cui di tanto in
tanto riemergeva con pezzi di frasi sconnesse, con lamenti.
Fuori non ha smesso un istante di piovere: il crepitio dell'acqua sul soffitto, sempre più insistente, la luce fioca della stanza, tutto concorreva a una malinconia terribile, smisurata – a
Luigi, a Francesco, seduti accanto a lui fino a notte alta, pareva che si depositasse sui polpastrelli come una condensa.
Malato, malato, malato. Il dottor Basch gli ha consigliato
il ricovero in clinica: Vedrà che si rimetterebbe in forze, mi
creda. Lui ha risposto che no, non ce n'è bisogno, basterà
cambiare albergo e già andrà meglio. Non sopporta più questa stanza. Gli amici gli hanno trovato finalmente una came-

ra in un piccolo hotel di rue de Vaugirard, a Montparnasse. La vicinanza col Jardin du Luxembourg lo rincuora, gli dà fiducia. Il giovane medico Federico, e Stefano, il genovese che ha conosciuto mercoledì, si danno da fare, gli dicono Arriviamo con un taxi qui sotto, lei non si affatichi. Lui nel frattempo, senza troppo ordine, stipa oggetti e abiti nella grossa valigia, ma ogni tanto deve fermarsi, lasciarsi cadere su una sedia per il troppo affanno. Mangia una fetta di pane biscottato, succhia un'arancia. Forse è solo che sto mangiando troppo poco.

Vogliono accompagnarlo fino giù al taxi, dice No, non c'è bisogno, posso fare da solo. Fa le scale tenendosi al corrimano, con l'altro braccio sostiene la valigia, ma un po' sbanda, Stefano allora gliela toglie di mano. Piero lo guarda indispettito, ribelle. Da quanti giorni è che non metteva il naso fuori? Gli sembra una vita, il tempo della malattia è un tempo strano, colloso, non lascia distinguere i mattini dai pomeriggi, i minuti pesano come ore. Gli piace sentire questo vento freddo sul viso, riavere finalmente un po' d'aria. Non dovevo ammalarmi. I balconi, i colori dei palazzi di rue de Vaugirard non sono tanto diversi da quelli di via XX Settembre. È stato un azzardo stupido andarsene? Non dovevo ammalarmi.

Questa città fa più rumore di Torino, ha uno spettro sonoro più ampio, meno spazi di silenzio, ha più fretta. Ne resta un po' stordito anche solo osservando il movimento della folla dal finestrino del taxi. È stato così anche a Londra, in estate: tutto così fuori misura, fragoroso, tentacolare. Solo a Saffron Hill, in quello squallore fuligginoso, ha sentito qualcosa di familiare, di povero ma tenace: di italiano. Qui invece rimane straniero. Si è fatto procurare due grossi volumi di letteratura francese, intende migliorare in fretta la conoscenza della lingua. È convinto che un editore debba esprimersi in modo impeccabile. Guarda ancora fuori, c'è una tale quantità di uomini a piedi, a bordo di vetture, di carrozze, di autobus, un torrente di uomini che produce, nel puro scorrere, un rumore incessante.

Esiste qualcosa che davvero possa lasciare traccia, in questa eterna confusione del mondo? Un'azione, un gesto umano in grado di modificare il corso delle cose? Si può agitare l'acqua di un lago con la forza delle nostre dita? Il tempo di una singola vita umana non permette di misurare il risultato di una battaglia, ma non per questo perde senso lottare. È così, monsieur, è vero? Potrebbe chiederlo al tassista. Potrebbe aprire il finestrino e domandarlo ai passanti, gridare Le idee, almeno le idee, ci sopravvivono? Forse anche i sentimenti.

Nel nuovo albergo va già meglio, c'è più luce, c'è il giardino oltre la finestra, gli sembra di respirare con meno affanno. Gli amici continuano a farsi in quattro, e lui a sentirsi in debito. Si preoccupano che lo importuni il rumore degli autobus, gli propongono di passare alla camera di fronte, che dà sul cortile interno, è più silenziosa. No, va bene questa, in fondo è solo una sistemazione provvisoria. Gli portano i giornali, li sfoglia, li commenta con chi gli resta accanto, e nella furia del giudizio pare che si rianimi, che ritrovi forza. Per qualche minuto parla in fretta, mangiandosi le parole, come se non gli bastasse il fiato. Per qualche minuto torna a essere il diciassettenne che chiamava i politici italiani gli eroi del compromesso e della farsa. Imbecilli, pappagalli, pagliacci. L'adolescente che disprezzava la saggezza diplomatica bottegaia, la piccola politica trascinata alla giornata con incoscienza, abile solo nei maneggi elettorali, nei ricatti e nei giochi di Borsa. Torna a essere il quasi diciottenne che provava disgusto per i partiti, per le loro formule vaste e imprecise, vuote; pronto ad accusare il circolo pernicioso per cui gli uomini rovinano i partiti e i partiti non aiutano il progresso degli uomini, non servono a niente.

Passa da uno stato d'eccitazione a una spossatezza improvvisa, devastante, che lo costringe a socchiudere gli occhi. Bisogna restare politici nel tramonto della politica. Interrompe il ragionamento, si lamenta di non poter leggere né parlare a lungo, gli amici gli dicono Non preoccuparti, adesso riposa un po', lui se la prende con i medici, con i farmaci, Sono troppi, troppi, non hanno effetti, non vedete? Lo dicevo io! D'accordo, adesso però riposati. Non ho sonno, sto bene, sto bene. L'orologio del Luxembourg scandisce i quarti e le ore, gli amici restano in silenzio, Piero dopo un po' si addormenta.

Adesso, tolti gli occhiali, i segni lividi sotto le orbite sono più visibili. La fronte è sudata, il colore della sua pelle è un grigio spento. Però il volto, mentre dorme, appare più disteso, quasi sereno. È solo un ragazzo, pensano gli amici rimasti muti intorno al letto. Un ragazzo più fragile di quanto non sia disposto ad ammettere: come quando, un anno e mezzo fa, si era ritrovato sotto casa una decina di squadristi, gli avevano chiesto se era lui il signor editore, aveva risposto Sì, sono io, e allora avevano cominciato a scuoterlo, a picchiarlo, gli occhiali si erano rotti subito, lui aveva provato a difendersi, a muovere le braccia contro quella nebbia umana che lo insultava e lo colpiva. Pugni dati e pugni ricevuti, aveva minimizzato con la madre, sgomenta, e con gli amici. Salendo in casa aveva avuto uno sbocco di sangue e ne era rimasto atterrito. Solo un paio di mesi prima aveva rischiato anche peggio: su via Roma, da una camionetta, arrivava il ritornello *Matteotti Matteotti ne farem dei salsicciotti*, lui dal marciapiede aveva gridato Abbasso Mussolini! Lo avevano seguito. Al Caffè degli Specchi si era mescolato alla folla, le camicie nere l'avevano perso di vista, ma facendo irruzione nel locale avevano preso a urlare sfasciando tutto.

Quando si sveglia è già buio, il nuovo amico genovese è ancora lì. Il discorso lentamente riprende, viene fuori Genova, il poeta degli *Ossi di seppia*, gli amici comuni. Giovanni, per esempio. Ha il padre che sta male, sta morendo. Voleva venire a trovarmi a Torino in questi giorni, non sa che sono qui a Parigi, non l'ho detto quasi a nessuno, molti non avrebbero capito, mi avrebbero detto È un errore, sono partito senza salutare tanti amici. E Santino? Ha già parecchi anni la nostra amicizia: gli erano passati per le mani i primi numeri della rivistina liceale, mi aveva scritto entusiasta. Gli ho risposto che le sue parole erano una grande soddisfazione, una delle poche che si provano quando si lavora a una rivista, tra l'apatia e la diffidenza degli adulti. Non scoraggiamoci, lavoriamo insieme uniti, gli avevo scritto. Non ho mai amato particolarmente le lettere, ma ne ho scritte un numero impressionante, mi gira la testa a pensarci. E comunque, è stato spesso, è stato sempre così – con un paio di lettere – che cominciava qualcosa.

M `I must go + live'
to Paris
later new stage
27

Questa frittata, per Moraldo, è una conquista. È come poter assaggiare l'intera città, averla nel piatto. La gonfia, fumante omelette al formaggio è di un giallo oleoso che splende sul bianco della ceramica. La assapora con calma, mentre il cameriere gli bisbiglia una frase confusa in italiano. La decisione è stata affrettata e pazza, non ne ha valutato a fondo l'azzardo. Da perdere non c'è molto, da guadagnare nemmeno, forse: allora tanto vale. Devo andare e vivere, si è ripetuto cento volte, come Romeo incontro a Giulietta, devo andare e vivere. È un eroismo da niente, ma nessuno ha avuto il cuore di frenare il suo slancio. Amedeo gli ha detto Vai topaccio, vai, gliel'ha urlato nelle orecchie. Sei ancora qui? E appena cedeva di poco, di pochissimo, appena avanzava qualche dubbio, gli dava uno strattone, lo afferrava per il bavero della giacca, dicendo Ma allora sei proprio senza midollo. Vai, Moraldo, vai: perfino il Po pareva dirgli questo, vai, scorri Moraldo, glielo ha detto con la voce catarrosa di suo padre, quella che lo incoraggiava nel gioco inutile di provare a volare.

Con il portiere dell'Albergo Roma ha dovuto insistere a lungo, non è stato facile. Non forniamo questo genere di informazioni sui clienti, signore, gli ha risposto categorico, mi dispiace. Moraldo ha provato a spiegare che si trattava del lavoro di fotografa della signorina Carlotta, il portiere ha apprezzato la bugia e si è lasciato convincere dopo altri due o tre no. Moraldo ha avuto perfino l'impressione di ricevere da lui un mezzo sorriso, un segno di complicità fra uomini, che non ha raccolto.

Poi, un vortice di gesti veloci, imprecisi, allarmati ha avuto come esito un posto in treno, le ore impazienti, l'arrivo alla Gare de Lyon, il frastuono della stazione, i primi passi su rue de Bercy, e tutto ciò – da quel momento in poi – che è stato *primo*. La prima vista della Senna dal pont d'Austerlitz, l'acqua verderame come i piloni, il vento che gli è arrivato in faccia, il sigarino che ha fumato cercando di orientarsi, di non essere risucchiato dalla città. Non ha capito se fosse la novità delle sue scarpe, un paio mai indossato, o la novità delle strade calpestate a produrre quell'inconsueto scricchiolio.

Le scarpe nuove – lui che ha potuto disporne con discreta facilità – le ha sempre amate poco. E mentre i compagni di gioco, di classe arrossivano di vergogna per le suole scollate, per la tomaia consumata, logora, e avrebbero dato chissà che cosa per un paio nuovo, lui vi avrebbe rinunciato volentieri per riavere indietro il vecchio. Le scarpe nuove non danno confidenza ai piedi, sono infingarde, ti convincono sulle prime della loro comodità per poi accanirsi per giorni sul tallone, sulla pelle della caviglia. Le scarpe consumate sono umili, fraterne, tengono il segno dei passi che hai fatto, di come sei arrivato dove sei, e questo a Moraldo piace. Certo, per una città nuova e per una ragazza un paio di scarpe nuove è stato irrinunciabile, e per il momento tutto va per il meglio, al punto da sentire, come si dice, le ali ai piedi.

Si è trovato a coprire distanze notevoli senza farci caso, a sgambettare, a volteggiare attorno ai chioschi, agli alberi spogli sul lungosenna, alla Colonna di Luglio al centro di place de la Bastille, per poi sbucare nel giardino incantato di place des Vosges, e stropicciarsi gli occhi.

Non c'è niente che non lo sorprenda. Anche il particolare più noto acquista una patina di inusitato. Oltre la spessa ragnatela del traffico, gli restano negli occhi venditrici di fiori, carretti di arrotini, insegne di cabaret, la solennità dei portoni, gli occhi sgranati sopra le bocche di enormi fontane, la sensualità delle statue e delle scale, le ceste di frutta che accendono il grigio come in un romanzo di Zola, la presunzione dorata degli alberghi, i cantanti di strada, gli strilloni, la Tour Eiffel come il pennone di una nave. Il dio dell'eleganza, qui, ha soffiato su tutto, anche sui mendicanti, sulle puttane, sui cani al guinzaglio. Le coppie si tengono per mano e si baciano anche all'aperto, senza pudore. I caffè ti chiamano dentro come calamite: il vento artico, d'altra parte, congela le orecchie, fa venire mal di testa. Di un po' di riposo al caldo, pensa Moraldo, c'è bisogno anche per mettere ordine fra i pensieri.

Parigi è un labirinto di cui venire a capo: all'uscita giusta dev'esserci l'alberghetto all'indirizzo che il portiere complice gli ha fornito. Rue Mesnil è fuori mano, verso il limite occidentale della città. Per raggiungerla, occorre scendere nel métro, e già questa è un'esperienza che lo preoccupa e insieme lo attrae. Sbuca tra le volte liberty della stazione di Porte Dauphine. Fuori, l'avenue Victor Hugo è un cono d'ombra lungo cui si gela. A trovare l'albergo, Moraldo impiega più del previsto, passa per un'assurda rue des Belles-Feuilles che gli sembra uno scherzo voluto da lei, e finalmente vede l'insegna.

28

Per prima cosa le dirà Sono arrivato qui per essere sicuro che tu fossi reale. Quando poi la vede scendere nella hall striminzita e buia, quando la vede voltarsi verso di lui, perde in un colpo tutte le parole. Moraldo non riesce, nemmeno da molto vicino, a indovinare se Carlotta sia sorpresa, infastidita, rassegnata di fronte a un evento inatteso e irreversibile come l'apparizione di lui. Stai bene?, le domanda. Sì, è la risposta. Ti dispiace se prendo una camera in questo albergo? No, è la risposta. È più brusca e più difficile di quanto prevedesse. Moraldo però vuole spendere tutta la gentilezza di cui è capace, attinge da riserve che aveva dimenticato. Mi dispiace di non averti avvertita, non era facile, ho chiesto all'Albergo Roma notizie di te, sulle prime non volevano dirmi niente, poi mi hanno detto che eri qui. Capisco, dice lei, non me l'aspettavo. Lo so, dice lui, mi dispiace. Non dire mi dispiace, per favore, salgo un momento, poi usciamo. Lei è salita, è entrata nella stanza, è passata davanti a uno specchio, ha sospirato, ha preso il cappotto e un cappello. Lui ha fermato la camera, ha pensato Sto facendo un errore, ma ormai è tardi per ripensarci.

Entrano nel Bois de Boulogne come in una chiesa, per un

po' camminano in silenzio e c'è soltanto il crepitio delle foglie secche sotto i loro piedi, la traiettoria delle anatre che planano verso il lago, un cielo che confonde autunno e primavera. La voce di lui, quando le domanda Sei triste, che hai, fa quasi eco. Niente, risponde lei, ed è la prima volta che gli sorride.

Piero si sente meglio, gli pare che il sapore dell'arancia stamattina arrivi più forte, più vivo sul palato. La febbre dev'essere scesa, forse è andata via. Ha chiesto agli amici di non far sapere niente ad Ada, è importante che lei non stia in pena, tanto sto per guarire. Nella lettera di giovedì, scritta a fatica, le ha comunicato solo di avere cambiato indirizzo, di essere un po' stanco, le ha chiesto di fargli sapere qualcosa del prossimo numero della rivista. Saluta il Pussin, ha aggiunto – e in quel momento è stato come averlo davanti agli occhi: infagottato, ciccioso, accanto a sua madre che sorride. Mio figlio, ha pensato. Sarà bello, quando gli si potrà parlare come fra uomini. Sarà bello, insegnargli qualcosa.

Proverà a non diventare mai uno di quei padri che sorridono agli entusiasmi, ai sogni dei figli, che alzano le spalle e li trattano da illusi. Infinite volte è capitato anche a lui di essere liquidato come un ingenuo, con quel paternalismo, con il disincanto di chi ha già perduto la propria battaglia. Vorrebbe, in questo, non diventare mai come gli altri, come gli adulti.

Moraldo avrebbe parecchie cose stupide da dire, pur di rompere l'imbarazzo da cui sono avvolti. Potrebbe cominciare dicendole Sono contento che tu abbia dimenticato l'ombrello, così da trovarci entrambi sotto al mio, ma non lo dice. Lei poggia una mano sul braccio piegato di lui, lui sente l'odore dei suoi capelli, che somiglia a quello della terra appena bagnata, ma forse li sta confondendo. L'acquazzone non è nemmeno un acquazzone, ma una pioggia leggerissima che annuncia quella di marzo, rugiada sparata nell'aria. Quando smette, la luce di mezzogiorno avvolge il bosco e lo rasserena all'istante. Si sentono di nuovo cantare gli uccelli, potrebbe dire Sta già finendo l'inverno, senti? Ma non dice nemmeno questo, le chiede invece di Parigi, delle fotografie, dell'esposizione, com'è andata, è una città incredibile, mi sembra di avere visto milioni di cose in due ore. Lei finalmente reagisce, commenta, spiega. È conquistata dalla città, la frequenta già da un paio d'anni, non si fa che incontrare gente incredibile, pittori, musicisti, fotografi che sono stati fianco a fianco con Nadar. Anche poeti, sì, ma sono i più sciatti, i più affamati. Tu non sai che cosa sono le notti a Parigi! Lo esclama come se parlasse di un luogo a lui negato, inaccessibile. Questo lo spinge a immaginarla in compagnia di altri uomini, nel misto di curiosità e di nausea che gli sale in gola.

A Stefano che torna a trovarlo, Piero chiede notizie del bel giardino del Luxembourg come chiederebbe di un vicino di casa. È là, poco oltre la sua finestra, invaso dal chiarore quasi tiepido di questa giornata: gli piacerebbe infilare il cappotto e uscire, fare qualche passo, respirare fuori da una camera d'albergo. Sfoglia i giornali che l'amico gli ha portato, gli parla dello schema di una lettera ai giovani che vorrebbe scrivere in fretta, anche se i medici dicono che non dovrebbe nemmeno scrivere. Al punto uno, avrebbe messo: la dignità del lavoro. Avrebbe chiarito il giudizio sull'Italia e sul fascismo, si sarebbe detto nemico dell'esilio – anche di questo, del proprio. Avrebbe accusato chi accetta i compromessi, chi resta a guardare. Il Risorgimento non è ancora finito, amico mio, anzi, forse deve ancora cominciare: bisogna che lo spirito della rivoluzione invada le università, le incendi. Stefano lo vede agitarsi, gli dice Sì, il sogno è questo, ma s'infrange sul terreno pratico, s'infrange nel confronto con le masse. Ci vorrà tempo, gli risponde Piero, con il tono di un padre, di un saggio, ci vorranno tempo, educazione, esempio. C'è così tanto da fare! Lo ripete a voce alta per sé stesso. La casa editrice, la rivista. Una rete di studenti per preparare le classi dirigenti del futuro. Una mostra dei quadri di Casorati a Parigi. Appena starò meglio mi occuperò di tutto.

E sai cosa vorrei, una di queste sere? Andare a teatro. C'è stata un'epoca della vita fatta ogni sera di un sipario che si apriva, e di un articolo da scrivere a caldo: con emozione, più spesso con sarcasmo, con ferocia. Forse solo davanti alla Duse toglieva la punta alla matita. La più romantica tra tutte le creature che mai siano vissute. Analizzarla era impossibile, era un mistero – questa impalpabile, abbagliante, vecchia fata. Andando a intervistarla, un pomeriggio d'inizio primavera, aveva sentito cedere le gambe.

Posso farti una domanda?, azzarda Moraldo.

Sì, ma ne ho una anch'io.

Si sono fermati a mangiare nel caffè accanto all'albergo. Lei ordina soltanto un dolce e una tazza di tè, ma lo fa dopo di lui, che si pente di avere chiesto un piatto di carne con verdure. Cos'è di preciso che gli fa avvertire la presenza di lei come quella di un essere superiore? Al suo fianco, ha sempre l'impressione di perdere consistenza, di ridurre il proprio spazio fino quasi a scomparire.

Perché hai strappato la caricatura della Duse dal mio quaderno?

Per non lasciarla ancora in compagnia di D'Annunzio.

Non scherzare.

Non sto scherzando. Era l'unica, tra le caricature, a non essere una caricatura. Ci avevi fatto caso?

No.

I volti maschili che non si prestano a un ritratto grottesco sono pochi. Devono essere di una bellezza angelica, o di un rigore assoluto. Con le donne, invece, dico le donne in genere, è quasi sempre difficile. Con una come la Duse, impossibile. Era impossibile. Quando ho saputo della sua morte, ho sentito uno scoppio dentro. Con certe morti succede. Ti volti, ed è sparito un pezzo di paesaggio. Una montagna, un bosco.

Cosa volevi domandarmi?

L'ho dimenticato. Mi tornerà in mente.

Piero prova a farsi forza. Intende concentrarsi sullo schema della lettera ai giovani. A questo punto torna con la mente a quel settembre così eroico, così stupefacente, così vivo.
Sono passati poco più di cinque anni. *Spezzare il movimento
operaio oggi vale distruggere l'unica realtà ideale e religiosa
d'Italia*, aveva scritto. Aveva scritto anche: *rivoluzione*. La
sola parola era una fiamma che incendiava la pagina – la sua
mano calcava, senza tremare; fosse stata, anziché un grumo
d'inchiostro, un tizzone, l'avrebbe lanciato – proprio lui, il
giovane liberale – oltre la finestra, e avrebbe preso fuoco
via XX Settembre, avrebbe preso fuoco tutta Torino; stavano già prendendo fuoco, Torino, l'Italia. I contadini hanno
occupato le terre, gli operai le fabbriche, vorranno il potere
politico, ed è bene, e non saranno soli – e se lui non era lì con
il corpo, con la giacchetta stazzonata, gli occhiali, doveva esserci con le parole, con le parole sì, e le parole erano *Son gli
operai che diventano Stato*. Giornate. Meravigliose. Meravigliose. Di. Ordine. E. Di. Disciplina. Dello. Scorso. Settembre. Correva all'edicola, saltava dal letto come una molla, at-
traversava la strada senza guardare, il giornale aperto sugli
occhi, cercando la verità tra le righe, dietro il velo della prudenza: sì, i canti, i frizzi che dice "l'Avanti!", i grammofoni e
le orchestrine, va bene, dettagli, ma ciò che conta è questo

fiume di centomila verso i cancelli della Fiat, la notizia è questa strana irreale calma del tutto, i custodi che non oppongono resistenza, MAESTRANZE PRESENTATESI ENTRARONO IN GRAN PARTE NELLE OFFICINE SENZA VIOLENZA OCCUPANDO STABILIMENTI, riprendono il lavoro, preparano la loro difesa di fili elettrici. Le guardie rosse stanno di vedetta sui muriccioli, qualche drappo sventola rosso come una scintilla. Le iscrizioni dicono ONESTÀ E LAVORO. Dicono NON RICCHEZZE MA LIBERTÀ. Dicono IL LAVORO NOBILITA. Sembrava che la città risuonasse di questo fragore metallico, il rumore delle carrozzerie, dei motori, delle ferrovie, delle fonderie, delle bullonerie, delle macchine tipografiche. Possibile che il fascismo sia riuscito a spegnere in appena un lustro tutto questo?

Non lo soccorre la calma, né la chiarezza. Sente arrivare un'onda di spossatezza, lascia cadere la penna sul tavolo, socchiude gli occhi, il cuore ha cominciato a battere forte, troppo. Ha l'impressione che stia per scoppiargli dentro.

Essere innamorato è un'idea più che prematura. Mentre la luce di domenica mattina esplode nella camera, Moraldo pensa Comunque, se sono sulla strada di un sentimento, ci sono soltanto io. Da lei non arrivano segnali decifrabili. Ieri sera si sono detti buonanotte, per poi prendere ciascuno la via della propria stanza, senza aggiungere altro. Ti desidero così tanto, ha pensato lui. È stato bello quando lei gli ha detto, qualche ora prima Tu hai troppe parole, hai parole per tutto. Gli è sembrato un complimento. Forse non lo era.

Più passano i minuti, le ore, più gli sembra sciocco anche solo averlo pensato – potere stare con una ragazza così. Così come? Incostante, mai davvero prossima. Pare appartenere solo a sé stessa, come gli alberi. Dev'essere una che fa strani sogni, e poi se li porta appresso tutto il giorno. *Vos mots réchauffent ma vie*, gli viene di pensarlo in francese, le tue parole mi scaldano la vita, e ne dice così poche, ma il fatto è proprio questo, da quando ti sto dietro è come se mi fossi riscaldato dentro. Se lei non se ne accorge non ha importanza, non ha mai saputo che ho sentito freddo per mesi, per anni, o forse sì, perché restano i segni, comunque al momento, al momento Moraldo baratterebbe tutto pur di continuare ad averla intorno, a vederla muoversi, parlare, restare in silenzio, con queste sopracciglia, con queste ciglia, con questo naso, queste labbra, questo collo, e giù fino alle caviglie, alle unghie dei piedi.

Lo sai che i tuoi occhi a volte mi fanno un po' paura?, le dice.

Al ricovero in clinica, dopo l'ultima crisi, Piero non ha potuto opporsi. Ha guardato con rassegnazione gli amici e il giovane medico che già insisteva da giorni. Sull'autolettiga, lungo gli Champs Elysées, ha ripetuto che non c'era bisogno, ma stavolta lo ha detto scherzando Vi ringrazio per la gita mondana, peccato non potersi fermare a fare compere!

La clinica è fra le migliori della città, su rue Piccini, a un passo dal Bois de Boulogne. La quiete dell'ambiente lo rassicura. Nel pomeriggio Luigi gli porta una copia della rivista letteraria che ora Piero non firma più da direttore. Scorre i titoli, li approva con un cenno del capo: i pittori fiamminghi, poi scrittori nuovi come Ojetti, vecchi come Panzini. Triste poter parlare soltanto di questo, pensa, ma lo tiene per sé.

138

MrC   last Sundays of carnival
C ' you did well to come to Paris'
M ecstatic – could ask more of life
M 'I could start my life again here'

Ballads
(yet again) It is a sign 36   I never want to grow old
He desires her more than any woman has
     ever been wanted
Tries to kiss her – no.

È l'ultima domenica di carnevale. Assolata, quasi tiepida. Moraldo e Carlotta non fanno che camminare per la città, come se avessero dimenticato tutti gli obblighi dell'esistenza, come se non ci fossero impegni né scadenze a richiamarli. D'altra parte il calendario dice domenica, e questo rassicura Moraldo, sgombra le nuvole d'ansia dal suo orizzonte. Vetrine di panetterie, chioschi di ostriche o di crêpes, giostrine su cui basterebbe mettere piede per tornare indietro di anni – tutto potrebbe tentarli, ma in verità non cedono, si fanno bastare in due mezza caraffa di vino bianco, verso l'ora di pranzo. Lei si fa più loquace, scherza sulle maschere che avrebbero potuto indossare. Tu sei Mosè, gli dice, con le tavole della Legge e una barba bianca e lunghissima. Si spinge fino a dirgli Hai fatto bene a venire. A lui sembra una frase bella e commovente, fresca, bianca, alta su Parigi come il Sacré-Cœur.

Le sorride, pensa che non potrebbe chiedere molto di più alla vita – il vino bianco, questa giornata di aria chiara, lei, Parigi. Ti vanno dei mandarini? Ti è venuta fame? Mi piacerebbe vedere da vicino un quadro di Cézanne. Per qualche minuto pensa La mia vita potrebbe ricominciare qui, forse non sarebbe poi troppo difficile, trovare qualcosa di buono da fare. Lui accende un sigarino, lei ne chiede una boccata, lui sgrana gli occhi, si mettono a ridere. Adesso, pensa Moraldo. Adesso. È la città che li impegna e insieme li distrae. I bambini in maschera lasciano dietro di loro una scia di coriandoli. Una banda musicale, poco dopo, lascia la sua scia di note.

Adesso, pensa Moraldo, adesso. Si può chiedere al tempo di rallentare? Per parlarti di più. Per vederti, di più. Per far durare questo pomeriggio di febbraio il più a lungo possibile. Poi lei all'improvviso gli dice: guarda. Dove. In alto. Dove. Là.

Scolpite contro il cielo trasparente ci sono cinque o sei lacrime rosse che, invece di scendere, salgono. Mongolfiere, come in un romanzo di Verne. Fanno alzare i nasi verso l'alto. L'alleanza di stoffa e gas sfida la forza di gravità e la vince. Lo spettacolo li commuove. La leggerezza di queste primitive macchine volanti. Lei pensa agli esperimenti di Nadar. Lui ricorda, con tenerezza, la fotografia della bambina in mongolfiera vista nello studio di Torino. Lei è completamente rapita. Lui pensa: Adesso. Vorrebbe cingerle la vita con un braccio, ma si limita a tenerle una mano sulla spalla, lei la registra con un'occhiata veloce che torna subito in alto, per non perdere un istante di quello spettacolo. Lui pensa È una magia. Questo lo pensa anche lei. Lui sente un trasporto quasi violento, eroico, totale verso di lei, verso di loro proiettati in un futuro lieve come queste mongolfiere. Si chiede se lo senta anche lei. Questo comunque è un segno, pensa lui.

E poi pensa Non voglio invecchiare mai.

Quando le mongolfiere si sono allontanate al punto da non distinguerle più, Carlotta si volta verso Moraldo e lui sorprende sul suo viso un'espressione che non le aveva mai visto. Non è solo il lampo della bambina che è stata, è di più: è come se dai suoi lineamenti – ossa, muscoli, pelle – fosse sparita ogni ombra di durezza, di difesa. Come un panno toglie dal dipinto la fuliggine del tempo, così lo stupore ha sgombrato il volto di lei da ogni cura, affanno, dalla tensione che lo irrigidiva. L'ha rischiarato.

Moraldo prega che l'effetto duri a lungo, ancora un po': almeno finché è stasera. Seduti al tavolo di una brasserie – nella nuvola di fumo delle sigarette e della carne cotta – lui dice È stata una bella giornata. Lei risponde Sì. Camminando verso l'albergo, finalmente, lui la cinge con il braccio, e la desidera più che quel pomeriggio a Torino, la desidera più di qualunque donna abbia mai desiderato. Lei non dice niente. Davanti all'ingresso, lui si fa sfuggire una frase strana e goffa Siamo tutti e due abbastanza soli, non credi? Lei alza le spalle, ma non sorride, prende la via della sua camera, lui pensa Adesso.

La chiama: Carlotta. Il nome gli suona in bocca come una parola straniera: così, così chiaro, così accorato, non l'aveva mai detto. Sì, dice lei. Moraldo pensa Adesso, adesso. Prova a baciarla. Lei sposta il viso e le labbra di lui sfiorano la guancia. Poi dice No, Moraldo, no. Per favore. Mi dispiace.

La notte è trascorsa serena. Piero si sveglia con l'idea che in fondo il ricovero in clinica, nonostante la scarsa fiducia nei medici, possa risultare benefico. L'idea di essere inoperoso da giorni lo inquieta più di tutto È lunedì, sono a Parigi, ma da quando sono qui non ho concluso niente. Vuole uscire, è un mattino splendente, si coprirà bene e farà giusto due passi qui intorno. I medici e gli infermieri non saranno d'accordo, lui insisterà, Starò via una mezz'ora, non ho febbre, giusto il tempo di prendere una boccata d'aria, siate buoni.

È stanco, sì. Ma è convinto che lo sarebbe meno, se potesse riprendersi i suoi giorni, il lavoro, se risolvesse la questione dell'alloggio, per poter finalmente chiamare Ada e Paolo, dirgli È tutto pronto, venite, la nostra vita ricomincia qui. Abbottona la camicia sopra la casacca del pigiama, chiude la giacca, si avvolge una grossa sciarpa intorno al collo, infila un'arancia nella tasca del cappotto e il cappello in testa. La luce e l'aria, appena vi si espone, lo assalgono: deve quasi ritrarsi, stringere gli occhi. Sistema gli occhiali sul naso, copre la bocca con la sciarpa. Cammina a passi lenti, deve quasi trascinare i piedi, gli sembra che le gambe non reggano. Ma è solo l'essere stati fermi a lungo, è solo questo, sto meglio, sto guarendo, sono quasi guarito.

Non c'è molta gente, nel parco, a quest'ora. Passano prima un uomo in bicicletta, poi una donna con un cane al guinzaglio. Si siede su una panchina, intirizzito, già esausto. Toglie un po' di buccia all'arancia, la porta alla bocca.

Un uomo giovane coi baffi gli si siede accanto e apre il giornale. Dice Bonjour, e aggiunge, a voce bassa Un'altra bella giornata. Piero risponde Oui, e si volta solo un istante, di scatto. Sì, ripete, e riprende a succhiare l'arancia.

La tosse lo scuote. Piegandosi in avanti con il busto, si aggiusta i piccoli occhiali tondi sul naso, per poi lasciarsi ricadere indietro con la schiena, con un sospiro pesante. Posso dare un'occhiata al giornale?, domanda all'improvviso, sempre in francese, e accenna un sorriso. L'uomo giovane risponde Sì, e intanto lo fissa, come fosse sul punto di dire qualcosa.

Piero sfoglia velocemente il giornale, lo chiude, dice Grazie, si alza, poi dice Arrivederci. Di niente, arrivederci, risponde l'altro.

Appena rientra in stanza, si infila a letto e si addormenta. Nel pomeriggio, Dolores e Luigi passano per sapere come sta. Li scruta come per avere, dai loro volti, notizie di sé. Siete sempre troppo preoccupati, via, sorridete, dice. E poi, rivolto a Luigi: C'è da preparare il prossimo numero della rivista, mettiamoci sotto.

Mentre lo dice, sente la voce che si incrina: come di chi ha perso, in un colpo solo, tutte le risorse di fiducia. Le provviste di una vita. Adesso gli pare di essere Amleto vicino alla sconfitta – il personaggio non gli è mai piaciuto. Illuso, lo spronava dalla platea, manda via i fantasmi! Oppure, è il tenore nei panni di Parsifal quando perde la strada: l'ombra del fallimento lo insegue, il giardino è diventato un deserto. La voce non regge: *A mai non trovare la via della salute, in un errare senza strada.* Aveva comprato lo spartito di Wagner per Ada, riduzione per pianoforte e canto, gliel'aveva regalato, nascondendo la dedica dietro al cirillico *Alla mia Beatri-*

ce. Lei gli spiegava le note che, all'inizio dell'ultimo atto, vengono da lontano, da lontanissimo, si abbassano fino a toccare terra, e nella terra sprofondano. Poi risalgono per salti, per illusioni, e di nuovo tornano a fondo, fino quasi a spegnersi – raffreddate dai contrabbassi, straziate dai violini, scaldate appena dalle viole e addolorate dai violoncelli, da quel loro affanno di metallo.

Nello spazio di una sola notte, è cambiato tutto: Parigi è stata arrotolata e messa via come un tappeto, per lui non esiste più. È uno stupido lunedì di febbraio, Moraldo si trova in una città straniera – solo, è costretto a concludere, lasciato solo, piantato in asso. Così, senza un motivo, dal niente. La signorina si scusa, gli ha spiegato il portiere, è dovuta partire all'improvviso, ma ha lasciato detto di consegnarle questa busta. Che modi, pensa Moraldo, che modi. Nella nebbia di furore che si fa più spessa e gli chiude la vista, la insulta a mezza bocca. Non ha voglia di aprire questa lettera, non ha voglia delle sue scuse, non ha voglia di niente che non sia camminare, senza una meta, con rabbia.

È mattina presto, c'è silenzio. Compra il giornale a un'edicola lungo l'avenue Victor Hugo, prende la direzione del Bois de Boulogne e ci cammina dentro, trascinandosi come un animale ferito. Tiene stretta nel pugno la lettera che tra poco aprirà, aspetta ancora, aspetta di sbollire prima di stracciarla senza nemmeno leggerla. Come ho fatto a crederci. Come ho fatto a pensarci anche soltanto per un minuto, per un'ora. Solo uno stupido si comporta così, solo uno stupido si aggrappa tanto ciecamente a ciò che non potrà mai avere. Come ho fatto a fidarmi – di una come lei, di una fotografa.

Respira con affanno, ha gli occhi che bruciano, ma non

145

piange. Vorrebbe fermare il primo che passa, raccontargli tutto, tanto per sapere se il pazzo è lui, se a loro sembra una cosa normale, una cosa giusta, una cosa possibile. Amedeo, gli direbbe se lo avesse davanti, hai visto cosa mi hai fatto fare, complimenti, e grazie. Vorrebbe mettersi a urlare, a inveire, il parco è deserto, in fondo nessuno può vietargli di farlo, e sa che starebbe meglio, dopo.

È in questo istante che passano prima un uomo in bicicletta, poi una donna con un cane al guinzaglio, poi ancora un uomo. Forse ero io che non vedevo nessuno. Lo sconcerto e la rabbia l'hanno scollato dalla realtà, ha smesso per un po' di sentire la vita, il movimento, i suoni intorno: il trambusto dentro di lui ha coperto quello fuori, fino ad annullarlo. Adesso torna a sentire, a vedere, a percorrere con più lucidità il sentiero del parco e della rassegnazione.

Il giovane che cammina davanti a lui, con un cappello sulla testa, stretto in un cappotto nero, avanza lentamente. Con un passo assorto, o stanco. Si siede su una panchina poco più avanti, Moraldo ha l'inspiegabile sensazione di averlo già visto da qualche parte. Si concentra. Stringe più forte nel pugno la lettera e il giornale. Ma com'è possibile? Per un po' spera che nessuno gli si avvicini. A questo punto si avvicina lui, e sedendosi apre il giornale. Dice Bonjour, e aggiunge, sempre più insicuro Un'altra bella giornata. In effetti, per essere metà febbraio, è un mattino splendente, la guerra contro l'inverno sembra sul punto di essere vinta. Oui, risponde l'uomo giovane, in francese. Si volta solo un istante, di scatto. Sì, ripete, e riprende a succhiare un'arancia.

Moraldo finge di leggere il giornale, senza in realtà vedere altro, sulle pagine, che una foschia uniforme. Nella testa formula diversi inizi di frase, ma nessuno gli appare plausibile, sensato. Lei è italiano, vero? Ecco, allora lo siamo entrambi, siamo quasi coetanei, pensa di poter dire, avvampando per il ridicolo. L'uomo giovane – esile, pallido, avvolto nel cappotto – poggia l'arancia accanto a sé. C'è, in quella mano lunga, intirizzita, in quel gesto, tutta la stanchezza dell'universo: dà l'idea di posare non un frutto ma un pianeta – Atlante esausto di sorreggere la Terra.

La tosse lo scuote. Piegandosi in avanti con il busto, si aggiusta i piccoli occhiali tondi sul naso, per poi lasciarsi ricadere indietro con la schiena, con un sospiro pesante. Posso dare un'occhiata al giornale?, domanda all'improvviso, sempre in francese, accennando un sorriso. Moraldo, rispondendo sì, tenendo fissi gli occhi in quelli chiari, un po' infossati dell'altro, ne percepisce l'allarme. Non ha quasi più dubbi che sia lui, per quanto assurda e irreale sia questa possibilità, nel campo delle infinite possibilità.

Avrebbe molte domande, avrebbe così tanto da dirgli, ma è irrigidito, bloccato, le parole si fermano prima di diventare suono. Non fa altro che gesti inutili, spolverarsi il bavero della giacca, ruotare il piede sul terriccio, ravviarsi i capelli guardando dritto davanti a sé come, al passaggio di una nuvola, svapora in fretta il giallo della luce mattutina.

Una scatola di cristallo sembra calata, dall'alto, sul parco, mentre nella testa di Moraldo i pensieri si muovono nella più assoluta confusione, anche la sparizione di Carlotta, l'umiliazione che ha provato, ora sono un ronzio remoto, indistinguibile. Ragiona su quanto siano diverse, da vicino, le persone che abbiamo idealizzato. Le abbiamo astratte dalla realtà sino a farne i nostri feticci, i nostri fantasmi. Che ne è, per esempio, dell'aria spavalda che gli attribuiva? Che ne è della forza, della sicurezza. Del piglio fiero con cui, a passi svelti, sembrava sempre diretto verso un luogo preciso. Adesso, accanto a lui, l'oggetto della sua ammirazione, della sua invidia, del suo rancore sembra sperduto. Fragile al punto che da un momento all'altro potrebbe svanire, dissolversi, lasciando vuoto e inerte sulla panchina, come un guscio, il cappotto spesso.

L'uomo giovane e pallido, chiudendo il giornale, dice soltanto Grazie. Si alza, poi dice Arrivederci. Di niente, arrivederci, risponde Moraldo, con l'intenzione di non perderlo di vista. Sono qui, pensa, e la vita è infame e strana. Piantato come un fesso a Parigi dalla donna che fino a qui ha inseguito, adesso non può perdere quest'occasione. Attende che l'altro faccia qualche passo, si alza anche lui e – come due o tre volte è capitato sotto i portici di via Po – lo segue. Senza dare nell'occhio, resta sui suoi passi, avenue de Malakoff, fino a che svolta su rue Piccini, dove infine lo vede sparire nell'ingresso di quella che sembra una pensione o forse una clinica. Lo aspetto qui. Quando lo vedrà scendere, cercherà di frenarne l'irritazione, dirà Mi scusi, oppure Scusami, direttamente in italiano, sono quello che poche ore fa ti ha prestato il giornale, su una panchina del Bois de Boulogne, vorrei parlarti, è proprio da una vita che vorrei parlarti. E tutto il resto.

Dopo qualche ora si decide a entrare. È una clinica, all'ingresso chiede notizie, gli viene risposto che l'infermo della camera 30 ora riposa, che è meglio tornare più tardi, o domani.

L'infermo.

M looks at photo of C which later she
I will / can't get her out of my head
feels like a person who has lost God
cries   39

Ha passato la notte con gli occhi negli occhi di Carlotta, e non perché li stesse sognando o perché gli apparissero in un'allucinazione. La busta che lei gli ha lasciato non contiene nessuna lettera, né un biglietto. C'è invece il ritaglio di una fotografia.

Dietro c'è scritto Ti ricordi? L'hai scattata tu, sei stato bravo. Ti lascio questa parte di me che ti fa paura. Non cercarmi, se puoi. Scusami.

Lì, dopo la parola scusami, che non significa niente, si è sentito morire. Gli è sembrato sulle prime che fosse una bugia, non poteva che essere una menzogna, un inganno bell'e buono, uno scherzo colossale e crudele. Poi ha pensato Non voglio saperne più niente, me la toglierò dalla testa, ho altro di cui occuparmi. Poi ha pensato Non riuscirò, a togliermela dalla testa. Ed è rimasto, più attonito che disperato, per un tempo che non saprebbe quantificare, con questo ritaglio di fotografia davanti agli occhi, come un santino nelle mani di chi sente di aver perso Dio.

È scivolato a notte fonda in un sonno breve e agitato. L'alba lo ha destato e finalmente è scoppiato a piangere.

Alla clinica, di prima mattina, gli dicono che l'infermo della camera 30 non è più nella camera 30. Moraldo prova a insistere, gli chiedono se sia un parente, risponde no. Un amico? È costretto a rispondere di nuovo no. Mi dispiace, signore, non possiamo darle altre informazioni. Posso lasciare un messaggio? Lo lasci pure, tenga. Adesso ha un foglio bianco da riempire, sarebbe la terza lettera, identica alle due che ha già scritto, non avrebbe senso, la solita presentazione, la solita richiesta di un incontro. Studio lettere, amo la filosofia, so anche disegnare ritratti e caricature, alla maniera di Girus e di Piero Ciuffo, tanto per fare un esempio. Ma adesso no, non ha voglia di ripartire da qui, tutt'al più gli direbbe Ci siamo incontrati per caso al Bois de Boulogne, ieri mattina, è tanto che aspettavo di incontrarla ma non volevo essere importuno, sono a Parigi, domani però devo rientrare a Torino, sto per finire i soldi. Avrebbe fatto la figura dello sciocco. No, no, meglio lasciar perdere. Gli sembra di avere mancato, senza una ragione valida, un'occasione da cui sarebbe dipeso, per la sua vita, qualcosa di essenziale. L'unico responsabile è lui. L'eterno indeciso. L'eterno fallito. Dice No, grazie, non si preoccupi, restituisce il foglio al portiere che lo guarda perplesso, infastidito.

Queste giornate di sole l'hanno ingannato. L'hanno portato sul punto di credere che una svolta fosse vicina, l'hanno spinto sull'altura buona per prendere il volo, per poi dirgli Guarda che sono soltanto scarpe, quelle che hai piedi. Stupide, vecchie, inutili scarpe. Più che parlargli di articoli e disegni, all'editore giovane Moraldo avrebbe chiesto come si fa: come si fa a essere come te, come si arriva al punto per cui il talento, la sicurezza di sé, le occasioni si impastano nelle dosi giuste e fanno da combustibile per un lancio, per un volo. Che cosa ho sbagliato. Che cosa non so fare. Gli avrebbe chiesto consigli. Forse anche un po' di conforto, vergognandosene all'istante. Scusami. Quando starai meglio ne riparleremo. Quando starà meglio, ne parleremo. Ho sbagliato i libri? Ho sbagliato gli amici? Vengo da una famiglia semplice, modesta come la tua. Ho perso forse le occasioni, per pigrizia? per cosa? Sono ancora in tempo? Voglio farmi un'ossatura di pensiero seria, nella mia vita fin qui ho avuto il cielo stellato ma non la legge morale, voglio saper rispondere quando mi chiedono che cosa penso, quali sono le mie idee politiche, come mi metto di fronte al fallimento del socialismo, come mi pongo di fronte a Mussolini, come mi pongo di fronte a Dio, a mio padre, ai padri, a tutti. Se ventitré anni non sono pochi per essersi fatti un nome, non sono troppi per essere giunti all'apice della conoscenza e della saggezza, al controllo di sé. Mi sono perso dietro ai furori più sciocchi, mi sono perso e ho perso tempo, ho inseguito grilli e romanticherie, è per una romanticheria che sono qui, mi dispiace, sono stato il pagliaccio di questo carnevale, adesso sono stanco, spero che tu possa capirmi.

Sul treno che lo riporta a Torino, a Moraldo scotta più l'offesa che l'occasione mancata. L'occasione potrà averla di nuovo, farà di tutto per non perderla. I Bovis lo guarderanno come un reduce: bisognerà ribadire una bugia convincente, oppure dire tutto, non nascondere la verità. Amedeo gli riderà dietro, come sempre, ma nemmeno questo, adesso, è il punto. Il punto è raccogliere i cocci, rimetterli a posto, rimettersi in piedi alla svelta.

Al confine italiano, gli strilloni urlano l'edizione del mattino. Ne prende una copia, la sfoglia con distrazione, il mondo stamattina lo interessa poco, nessuna notizia potrà avere più peso di quelle che riguardano le sue disgrazie private. I PROGETTI FINANZIARI APPROVATI DALLA CAMERA. LE GRANDI MANOVRE NAVALI INGLESI NELLE ACQUE DI MALTA.

Si distrae scorrendo le cronache dell'ultimo giorno di carnevale, il commiato di Gianduia, le lotte a colpi di confetti, la sfilata di quaranta e passa carri. Un trafiletto racconta la baraonda in piazza Vittorio: centinaia di persone accalcate alle giostre, un vero e proprio mare di teste. Cos'avranno detto i Bovis? C'erano anche gabbie di animali esotici e un uomo con un boa attorcigliato intorno al collo. Fa da controcanto l'elenco dei preti che iniziano oggi, mercoledì delle Ceneri, le prediche quaresimali nelle chiese cittadine. La signora Alberta ne terrà conto. Monsignor De Donno ai Santi Angeli Custodi. Don Piumatti in Santa Maria Ausiliatrice. Padre Franchetti a Santa Barbara.

Moraldo sbadiglia, guarda fuori: ancora una bella giornata. Ripercorre il giornale all'indietro, una pubblicità dice *Attenzione ai raffreddori, Pastiglie Regina*. Alla pagina due il cronista avverte che nessuna comunicazione ufficiale è avvenuta circa il ritorno dell'onorevole Mussolini a Roma, forse prolungherà la sua assenza fino a sabato o domenica. Passa oltre, sposta gli occhi alla colonna accanto, e per prima cosa vede la parola Parigi, poi vede il numero 16, infine la parola notte.

Scorre il titolo, ma appena gli sembra di averlo messo a fuoco, lo perde di nuovo. Rivede solo la parola Parigi, il numero 16, la parola notte. Poi, c'è la parola clinica. Sopra, in neretto, la parola morte.

Un eccezionale caso di precocità intellettuale. Ancora studente, aveva fondato una rivista di acerba immaturità ma piena di promesse.

Si sente mancare. Non può essere vero. Per qualche minuto alle sue orecchie non arrivano suoni.

Al di sopra di ogni parte politica, considerando in lui lo studioso e non l'uomo di parte, niuno vorrà disconoscere che questo giovine – morto a soli ventiquattro anni lontano dalla sua patria e dalla famiglia – era un'individualità singolare per la vivacità dell'ingegno, la grande cultura, la molta tenacia.

La parola Parigi, il numero 16, la parola notte, la parola morte.

Si trovava a Parigi per alcuni suoi affari editoriali. Era sofferente, ma gli amici avevano potuto constatare da ultimo un sensibile miglioramento.

Moraldo ha bisogno di alzarsi. Percorre il corridoio, si porta la mano alla bocca, sente un groppo salirgli in gola, non diventa pianto. Fuori, c'è un'altra mattina di sole: inutile, ottusa. Non può essere vero.

Abbassa la testa, socchiude gli occhi, resta in piedi, stringendo forte il corrimano. Com'è stato possibile, come. La figura sottile che ha avuto davanti l'altroieri – quell'uomo giovane e stanco, con i suoi occhiali tondi, quell'uomo ha stipato dentro ventiquattro anni ciò che altri non riescono a compiere in una vita lunga il triplo. E adesso? Adesso, pensa Moraldo, le sue parole mute.

Avverte come un brivido, e in quel brivido, la furia del vento, la pioggia ghiacciata, il viola dei lampi, il sentimento di una vita esposta – lupo selvatico all'addiaccio. Il resto del branco ha trovato riparo, ti chiama, ti guarda come il figlio sbagliato, come il pazzo temerario. Tu resti là, non ti muovi, tremi, ma resti, impassibile come una polena contro il mare in burrasca. Quando la violenza della tempesta si sarà placata, rientrerai nella tana. Non capiranno. Non ha importanza.

Come si fa a essere così. Atterrito da quel brivido, Moraldo si sente, nel calore del branco, uno fra quelli che aspettano. Oscilla nel giudizio: asseconda la malevolenza, quando è braccato dalla paura. Misura le proprie qualità su quelle dell'altro, le invidia. Vorrei essere lui. Rinvia il momento di mettersi alla prova. Aspetta ancora. Finché l'altro torna, ed è ferito. Se essere come lui significa questo, se essere come lui è anche questo, allora meglio –

La frase si spezza.

Poggia la fronte contro il finestrino, è ghiacciato. L'editore giovane, pensa Moraldo, non sarebbe invecchiato mai. Prigioniero della propria giovinezza. Manderà un telegramma a qualcuno, deve farlo, anche se non serve a niente, anche se il suo telegramma non aggiungerà niente, nella confusione di un dolore che si apre come una voragine, scriverà alla madre di lui, la piccola signora della drogheria di via XX Settembre, prova a immaginare quella disperazione, ma il pensiero non arriva fino a lì, afferra solo quest'immagine di un terremoto che scuote il cuore di lei e quella bottega, fa franare tutto, sbriciola i biscotti, rovescia a terra le caramelle alla menta, i chicchi di caffè, svuota le bottiglie di bevande, tamarindo, dulcamara, assenzio, sale un odore acido che brucia le narici, è la vita che va in frantumi come queste bottiglie di vetro, è tutto ciò che gli pare per un attimo di vedere e non sa, né gli spetta saperlo – i gesti disperati, una chiamata da un telefono pubblico con qualcuno, all'altro capo del filo, che dice È mancato, l'impressione di non aver capito, di non poter capire adesso e per sempre, le tempie che battono forte, la mortificazione degli amici, l'incredulità, gli affari pratici da sbrigare, quello stato come di febbre, sovreccitato, che ti tiene in piedi per ore, a fare qualcosa anche quando non c'è più niente da fare, la lettera di una moglie che non ha raggiunto in tempo Parigi, c'era una foto di lei con il bambino, è la prima, Non lasciarla troppo alla luce, perché non è ancora fissata e svanisce; e sentire di non aver fatto abbastanza per evitare ciò che comunque non è possibile evitare, avere per un minuto, all'improvviso, la sensazione che non sia accaduto niente, che si può aspettare anche chi non può tornare, che si possa fare soltanto questo: aspettare, nelle stanze rimaste vuote, intoccabili, congelate, fino a che piomba in un'ora del pomeriggio tutto insieme il peso dell'assenza – devastante, lugubre, senza speranza – o dentro notti infinite, tormentate e nere come questo inchiostro, fino a che con ogni atomo di noi, a una profondità che ci toglie il respiro, sentiamo l'irrimediabile, e che tutto questo è reale, reale come la vita che continua, mentre di un uomo si è costretti a dire *era*, è scomparso – e una parte di noi con lui.

Nota dell'autore

Mi porto dietro l'idea di questo romanzo dal 2008: stavo per compiere gli anni che Piero Gobetti (1901-1926) non ha compiuto. Non sapevo molto di lui, ma quel poco mi ha spinto a immaginare. Nel gennaio del 2009, a Parigi, sono andato al cimitero del Père-Lachaise in cerca della sua tomba. Era – accade di rado – chiuso per ghiaccio e neve. Antonio Tabucchi, che avrei incontrato quello stesso pomeriggio, mi incoraggiò a non abbandonare questa storia. Adesso che il progetto è diventato un libro, la sua lettura mi manca.

Per la scrittura, hanno contato molto due fotografie torinesi. La prima, scoperta per caso e con grande sorpresa, porta la data del 15 febbraio 1926. Si vede un banco di vini, è una fiera di carnevale. È il giorno in cui, lontano dalla sua città, a Parigi, muore Gobetti. L'altra l'ho scattata io stesso: al numero 52 di corso San Maurizio, la casa in cui abitò Giacomo Debenedetti. Le lunghe conversazioni con il figlio Antonio, che in *La fine di un addio* e in *Giacomino* ha fatto rivivere il clima degli anni venti e trenta a Torino, mi hanno aiutato a indagare in quelle giovinezze prodigiose.

Mandami tanta vita è un'opera di finzione: parecchi dettagli sono presi in prestito da lettere, documenti, testimonianze, ma tutto è stato rielaborato in assoluta libertà. Saggi storici, articoli dell'epoca, romanzi e racconti di altri scrittori hanno fatto da motore, da supporto, da conferma all'immaginazione. Cito, fra i tanti, un titolo: *Nella tua breve esistenza. Lettere 1918-1926*, l'emozionante epistolario di Piero e Ada Gobetti, curato da Ersilia Alessandrone Perona per Einaudi. Senza questa lettura, non avrei potuto scrivere una sola pagina.

Sono grato ad Alberto Rollo, che ha sentito sua questa storia fin dall'inizio.

Grazie anche – per il sostegno, i suggerimenti, le idee – a Giovanna Salvia, Gianluca Foglia, Emilio Gentile, Pietro Polito, Marco Scavino, Giorgio Biferali, Francesco Costa, Alma Gattinoni e Giorgio Marchini, Matteo Lo Presti, Simone Nebbia, Giorgio Ponte, Lodovico Steidl, a Ninni.

E a Michela Monferrini, per la vita che ha aggiunto.

marzo 2013

Il museo di un romanzo

Che cosa resta di un romanzo che abbiamo scritto? Un file salvato nel computer, sì, e molti appunti: quaderni fitti di idee che avremmo voluto sviluppare. Molte le abbiamo dimenticate, perse di vista, tradite. Restano frasi su post-it gialli che sembrano indicazioni geografiche a vuoto. *"Esuli* di Joyce va in scena la sera del 14 febbraio 1926." E allora? Allora un romanzo, qualunque romanzo, è sempre inferiore all'idea astratta che ne avevamo in partenza. Una volta pubblicato, come sapeva Henry James, si è assaliti dalla tentazione di sacrificare la prima edizione e cominciare dalla seconda: "Ah, ripartire di nuovo, avere un'occasione migliore!". Inutile quindi passarsi fra le mani queste carte cariche di promesse non mantenute, di voci bibliografiche tralasciate, di immagini buttate via: un patrimonio dilapidato. Eppure a volte, di un romanzo, resta un piccolo museo. Orhan Pamuk l'ha costruito a posteriori, a Istanbul, per una storia d'amore: *Il museo dell'innocenza*. Una folla di fotografie, bottiglie, sigarette, pettini, spille, orologi diventa il deposito materiale del sentimento (romanzesco) che ha legato Kemal e Füsun: quasi fossero non personaggi ma persone vere, che vivendo hanno lasciato la loro scia di oggetti.

Scrivendo *Mandami tanta vita*, sulle tracce di una vita inabissata nell'inverno del 1926, ho – come accade a chiun-

que lavori sul passato – accumulato documenti, letto libri, fatto la fila al banco delle fotocopie in biblioteca. Poi però, uscito di lì, mi dicevo: non basta. E mi ostinavo a cercare ancora: piccole librerie, bancarelle dell'usato, robivecchi, eBay – pur di sentire tra le mani l'aria di quel tempo. È una pretesa assurda, votata al fallimento, ma non ho smesso per un attimo di alimentarla, con il gusto del collezionista dilettante. Soddisfatto per un niente: la copia in buono stato della "Domenica del Corriere" uscita il 14 febbraio 1926, due giorni prima che la trama del mio romanzo si concluda. A cosa è servita, ai fini della narrazione? A nulla, ma volete mettere il piacere di avere davanti agli occhi le tavole di Beltrame? Sulla prima pagina, un uomo finito sotto un treno nel lucchese: "Tutti i carri del convoglio gli passarono sopra lasciandolo tuttavia incolume". E poi le poesie sul carnevale, le novità per le acconciature ("modelli parigini per la sera"), le pubblicità (il brodo Arrigoni per una minestra "appetitosa"), i consigli per sbarazzarsi di tutti i mali ai piedi.

Mi emoziona sapere che queste pagine hanno preso la luce di una domenica mattina di quasi novant'anni fa. L'idea che qualcuno le abbia sfogliate, lette davanti a un caffè. Così il passato sembra sul punto di svegliarsi e tornare, diventa uno spazio ancora abitabile. La letteratura offre questa illusione, ed è la stessa di quella cameriera che, nella *Rosa purpurea del Cairo* di Woody Allen, sogna di vivere in un film in bianco e nero, o di quello scrittore in crisi che a mezzanotte incontra Hemingway e Fitzgerald, in *Midnight in Paris*. Gli oggetti, le cartoline, i vecchi giornali sono stati per me come quel rintocco d'orologio, come la ricetta di un incantesimo. Come la macchina del tempo. A stesura ultimata, avevo intorno un piccolo, inutile, sorprendente museo involontario. Quando avevo acquistato la riproduzione di timbri postali degli anni venti? E quando mi ero messo in cerca di vecchie, anonime fotografie, di locandine cinematografiche, di pubblicità di grammofoni? "Possedere uno di questi strumenti

significa avere tutti i più grandi artisti da Tamagno alla Patti, da Caruso a Titta Ruffo…" Grammofoni in quercia, in mogano, cinquanta modelli di strumenti da lire 500 a lire 8600, a molla o elettrici. Stampe della vecchia Torino: il manifesto dell'Esposizione del 1898, con un pallone aerostatico che sale sopra la città; piazza Castello con l'insegna di un Grand Hotel, signore a passeggio e un barroccio al centro della scena; il Teatro Balbo e un capannello di gentiluomini all'ingresso. Figurine scure, indistinguibili, vite di uomini non illustri perse nel tempo. Che fine avete fatto? Possibile – come si chiedeva Benigni nella *Voce della luna* – che non si sappia più niente di voi?

Ho acquistato perfino fascicoli, neanche troppo economici, di una rivista illustrata americana, "Mid-Week Pictorial", anno 1925. Gossip dell'epoca, nuotatrici, principesse, corse di cavalli, acrobazie di cani. Fotografie grigioblu su una carta che si sfarina fra le mani; cruciverba a premi: con il

più facile, si vincono quindici dollari. Il numero di gennaio-febbraio 1926 di "Esercito e Nazione. Rivista per l'ufficiale italiano" presenta la riproduzione di un testo autografo del Primo Ministro d'Italia Benito Mussolini sui progetti militari. L'articolo *Il Marocco nelle sue caratteristiche geografico-militari* offre anche una cartina a tre colori che segnala i limiti dell'occupazione francese e spagnola al 1° aprile 1925. Meno suggestiva una dotta analisi sul tema *Carri armati contro reticolati*. Adorabile invece un numero del "Giornalino della Domenica" diretto da Vamba, con una fiaba giapponese illustrata e il Cantuccino degli enigmisti di Fra Bombarda. Mi dispiace avere trascurato, su un numero del "Mondo" dell'estate 1917, una riflessione accigliata sulle bagnanti che "si abbandonano al cosiddetto bacio dell'onda solo indossando corpetto e mutandine" e un velenoso ritratto di Amalia Guglielminetti firmato Pitigrilli.

Sono tornato anche più indietro, là dove il mio romanzo

non arriva: alla settimana in cui a Torino nasceva Piero Gobetti, il protagonista di *Mandami tanta vita*, giugno 1901. Sull'"Illustrazione italiana" si annuncia, per il prossimo numero, uno splendido articolo di De Amicis sui lavoratori del mare nel porto di Genova. Peccato non averlo. A Roma è stato aperto da poco il nuovo Ponte Cavour; un disegno dal vero mostra senatori e deputati in visita al re per rallegrarsi della nascita della principessa Iolanda. Sulla copertina, fra le tante pubblicità, anche quella del Liquore Strega, ditta Alberti, casa fornitrice di Sua Maestà. Non ci avevo fatto caso.

Il mio piccolo museo involontario è tutto in una scatola di cartone. Da custode e unico visitatore, ne riconosco la stralunata e sentimentale inutilità. Eppure queste tracce tanto fragili mi sembra di averle messe in salvo, riportate a casa da un viaggio, ma nel tempo. Non è sempre questo, lo spirito del collezionista? Per tutti i giorni che ho speso a scrivere il romanzo, il calendario diceva contemporaneamente 2012 e 1926. Ero anche lì, a chiamare nomi, a sentire freddo, a mettere il naso in affari non miei. Ho sentito la mia vita dilatarsi all'indietro; rompere le leggi – almeno quelle apparenti – della fisica. Mi è sembrato lecito aspettare ciò che non può tornare, e anche chi non può tornare. Mi sono ricordato che soprattutto per questo, amo leggere romanzi.

Paolo Di Paolo